C000111657

Esc

à *TUNIS*

MICHELIN

Éditions des Voyages

SOURCE DES PHOTOGRAPHIES

Photos fournies par The Travel Library :
Steve Day back cover, 16, 49, 55 (bas), 69, 70, 75
(haut, bas), 76, 77, 78, 80, 81, 82, 84, 88, 111, 117,
121 ; Philip Enticknap 19, 74 ; Ch. Hermes 56, 71,
73 ; Michael Klinec front cover, title page, 5, 7, 11,
14, 15, 20, 21, 24, 25, 26, 27, 29, 31, 33, 34, 35 (b),
36, 37, 38, 40, 41, 42, 43, 44 (h, b), 46, 47, 48, 51, 54,
55 (h), 58, 59, 61, 62, 63, 65, 92, 94, 97, 98, 101, 102,
105, 107, 109, 122, 125 ; ffotograff/Charles Aithie 9,
23 ; ffotograff/Patricia Aithie 13, 35 (h), 85, 90, 104,
106, 115.
Autres photos :
Donna Dailey 67.

Première de couverture : la Grande Mosquée vue des toits
de la médina (Tunis) ;
quatrième de couverture : ruines romaines (Dougga) ;
page de titre : porte (Sidi Bou Saïd).

MANUFACTURE FRANÇAISE DES PNEUMATIQUES MICHELIN
Place des Carmes-Déchaux – 63000 Clermont-Ferrand (France)
© Michelin et Cie. Propriétaires-Éditeurs 2002
Dépôt légal mars 2002 – ISBN 2-06-100061-4 – ISSN 1275-7179

Imprimé en Espagne 02-02/1

MICHELIN Éditions des voyages
46, avenue de Breteuil, 75324 Paris CEDEX 07
☎ 01 45 66 12 34 – 3615 Michelin
www.ViaMichelin.fr

SOMMAIRE

INTRODUCTION

La Tunisie est célèbre pour ses stations
balnéaires, à l'affiche de nombreux tours-
opérateurs, et son désert, superbe décor
pour le cinéma. Elle est moins connue
pour ses vestiges romains, ses vergers et
vignobles, ou encore pour sa surprenante
capitale, Tunis.

*La rue haute en couleurs
de Jamma ez Zitouna
mène au cœur de la
médina.*

Vieille de plus de 3 000 ans, la capitale
tunisienne est étrangement demeurée une
petite ville tranquille. La médina fortifiée,
inscrite au Patrimoine mondial de l'UNESCO,
constitue le cœur de la cité : là, l'animation
habituelle des souks est amplifiée par la
clameur des marchands de souvenirs à la vue
des touristes (comme vous) s'aventurant dans
le dédale de ruelles. Sorti de la médina, vous
êtes dans une ville à la croisée des chemins
entre l'Afrique et l'Europe, où l'héritage
français se retrouve encore très clairement
dans l'artère principale (l'avenue Habib
Bourguiba), l'architecture coloniale, les
pâtisseries ou encore les cartes des restaurants.
Nombre d'habitants parlent français et Tunis
se révèle un mélange de sophistication
européenne et d'exubérance arabe. Pendant
que résonne l'appel à la prière du *muezzin*
dans l'une des nombreuses mosquées de la
médina et que les touristes s'interrogent sur
leur réelle intention d'acheter un tapis, les
jeunes supporters de football manifestent
bruyamment leur enthousiasme et les hommes
d'affaires se délassent dans les cafés en
consultant les dernières éditions de la presse
internationale.

La région de Tunis arbore également un
merveilleux héritage archéologique avec les
vestiges de Carthage et les ruines de Thuburbo
Majus, Utique et surtout Dougga. Située à

110 km de Tunis, cette cité romaine remarquablement préservée est un endroit captivant qui offre une autre dimension à cette région d'Afrique du Nord. Mais si vous en avez assez des visites culturelles, vous pouvez aller goûter l'air de la mer facilement accessible en train ou en taxi depuis le centre de Tunis. Les stations balnéaires de Gammarth et La Marsa disposent d'hôtels modernes et de longues plages de sable doré où vous n'avez qu'à vous laissez vivre !

ENTRE MER ET DÉSERT

La Tunisie couvre 163 610 km², soit une superficie légèrement inférieure à celle de la Bretagne. Son littoral de 1 300 km longe la mer Méditerranée, formant les frontières nord et est du pays, lui-même bordé par l'Algérie à l'Ouest et la Libye au Sud-Est.

Nichée dans un golfe abrité rompant avec le relief accidenté de la côte nord, la capitale est séparée de la mer par le **lac Tunis**, créé au 9ᵉ s. par les Arabes, qui creusèrent un canal de 10 km de long pour relier la ville à la mer. Au cœur de la cité, l'ancienne ville ou médina, est ceinte par la ville moderne, érigée par les Français et délimitée au Nord par la colline du parc du Belvédère. La banlieue, qui longe la côte au Nord et s'étend aussi au Sud du lac, englobe les vestiges de l'ancienne **Carthage**.

Au Sud-Est de Tunis, la péninsule vallonnée du Cap Bon, recouverte de vergers d'agrumes, s'enfonce dans la mer. C'est à Hammamet qu'apparaissent les plages parmi les plus belles du pays, qui se succèdent le long de la plaine côtière en direction du Sud. Cette région, appelée le **Sahel**, est plantée de vastes oliveraies.

La côte nord généralement rocheuse compte quelques criques sablonneuses près de la ville historique de Bizerte. La plaine de la **Mejerda**, qui coule au Nord et à l'Ouest de Tunis, est depuis l'Antiquité une riche région agricole.

La rivière conduit au **Tell**, paysage montagneux plus escarpé où l'on peut admirer de magnifiques ruines romaines comme celles de Dougga.

UNE TERRE CONVOITÉE

Les Berbères

Comptant parmi les diverses ethnies semi-nomades établies en Afrique du Nord au néolithique, les Berbères constituent le peuple indigène de Tunisie. On pense qu'ils descendent d'immigrants venus d'Europe du Sud dans la région entre 6000

et 2500 av. J.-C. puis éparpillés en Afrique du Nord, depuis l'Égypte jusqu'au Maroc. Cette peuplade vivait en tribu et levait le camp pour se livrer au commerce ou rechercher de nouveaux pâturages pour leurs chèvres et moutons. Les Berbères ne possédaient pas de langage écrit, il reste donc peu de traces des premières tribus ; seules subsistent quelques ruines anciennes comme le mausolée d'Ateban à Dougga et des citadelles dans le sud du pays. L'ancienne langue berbère, qui se compose de nombreux dialectes, est encore parlée aujourd'hui par quelques individus, mais on la retrouve surtout dans les noms de lieux. En dépit d'une féroce indépendance, les Berbères ont fini par adopter la religion de l'envahisseur arabe. Certains royaumes berbères, comme la dynastie numide, devinrent très puissants, et ont tantôt aidé ou contrarié les plans des divers conquérants qui voulurent s'approprier la Tunisie. Les premiers d'entre eux furent les Phéniciens.

Vue sur la ville moderne du parc du Belvédère.

L'Empire Carthaginois

Selon la légende narrée par Virgile dans l'*Énéide*, Carthage fut fondée par la princesse phénicienne Élissa, également connue sous le nom de **Didon**, qui s'enfuit de Tyr après que son frère, le roi Pygmalion, ait tué son mari pour s'emparer de sa fortune. Lorsqu'elle arriva sur la côte tunisienne avec sa suite, le chef local accepta de lui donner autant de terre que pouvait couvrir une peau de bœuf. Astucieuse, Didon découpa le cuir en fines et longues lanières, joignit celles-ci et encercla la colline de Byrsa, devenue le site de la citadelle. La colonie fut appelée *Kart hadschath* (« ville neuve »), et Didon fut proclamée reine de la ville.

Carthage prospéra et domina rapidement l'empire phénicien. Elle contrôlait la côte nord-africaine depuis la frontière occidentale de l'Égypte jusqu'à l'Atlantique, et établit des colonies en Sicile, en Sardaigne, à Malte, dans les îles Baléares et en Corse. L'amiral **Hannon** naviga même le long de la côte d'Afrique de l'Ouest jusqu'au Sierra Leone, pour créer de nouvelles colonies et routes commerciales. L'empire carthaginois était axé sur le commerce. Son peuple exploitait des gisements d'argent et de plomb, produisait du bois de construction dans les montagnes de l'Atlas, fabriquait poteries, bijoux et verrerie, et les denrées exportées incluaient aussi bien l'ivoire que l'or, en passant par les animaux sauvages. Les lits et la literie de Carthage étaient alors aussi très prisés.

Les Carthaginois étaient particulièrement avancés dans le domaine de l'agriculture. Lorsque les batailles disputées continuellement avec les Grecs les

empêchèrent de s'approvisionner en Sicile, ils développèrent les cultures sur le sol tunisien, concevant des techniques afin d'améliorer la productivité des terres que l'on qualifierait de non cultivables aujourd'hui. Leur traité sur l'agriculture fut traduit en latin après la chute de Carthage, si bien que Rome reçut tout le crédit de leurs inventions.

Bien que les Phéniciens aient inventé l'écriture cursive, fondement des alphabets européens modernes, ils n'ont laissé aucun écrit sur la vie quotidienne à Carthage et leurs œuvres d'art se contentent d'imiter d'autres cultures. Les familles fortunées enterraient leurs morts dans d'impressionnants tombeaux, avec des biens pour la vie dans l'au-delà. Et certains éléments témoignent de la pratique de sacrifices humains, perpétrés en l'honneur des principaux dieux, Baal et Tanit.

Les thermes d'Antonin à ciel ouvert.

Les Phéniciens

Originaires du Liban actuel et plus précisément du port de Tyr, les Phéniciens, excellant dans le commerce maritime, établirent des comptoirs le long de la côte nord-africaine sur la route de l'Espagne, où ils négociaient argent et étain. Ces haltes, où les marins pouvaient se reposer et se ravitailler, étaient distantes d'environ 35 km. En Tunisie, le premier comptoir fut implanté à Utique aux environs de 1100 av. J.-C., précédant ceux de Sousse, Bizerte et Tabarka. Carthage fut fondée beaucoup plus tard, vers 814 av. J.-C. Ces colonies se sont développées et ont prospéré, mais dès le 6e s. avant notre ère, c'est Carthage qui devait dominer de sa toute puissance la Méditerranée.

Les guerres puniques

La Grèce a longtemps été la rivale des Phéniciens pour la domination en Méditerranée, et fut continuellement en guerre contre Carthage aux 4e et 5e s. av. J.-C. Mais au 3e s. av. J.-C., la principale menace émana d'une autre puissance méditerranéenne, Rome. Les trois grands conflits qui émaillèrent ce siècle et le suivant, connus sous le nom de guerres puniques, entraînèrent la chute de Carthage.

La **première guerre punique** (264-241 av. J.-C.) éclata lorsque Rome et Carthage entrèrent en conflit à propos de la Sicile. Carthage perdit la majeure partie de son territoire sur l'île et fut également évincée de la Corse. En 256 av. J.-C., les Romains lancèrent une attaque contre Carthage mais furent repoussés par une armée de mercenaires composée d'une cavalerie berbère, d'une infanterie espagnole et d'éléphants de combat. Cependant, ils vainquirent la marine carthaginoise en 242 av. J.-C. et exigèrent qu'on leur verse un lourd tribut. À cours d'argent pour payer ses mercenaires, Carthage dut faire face à une forte rébellion, qu'elle mit trois ans à mater.

À l'issue du conflit, le général **Hamilcar Barca** devint le chef de Carthage. Pour remplir à nouveau les coffres, il implanta une nouvelle colonie en Espagne et étendit le territoire de Carthage. Son fils aîné **Hannibal** lui succéda en 221 av. J.-C. Deux ans plus tard, il affronta les Romains à Saguntum, provoquant la **deuxième guerre punique** (218-201 av. J.-C.). Rome contrôlant la mer, Hannibal assiégea l'Italie, marchant vers le Nord et traversant les Alpes à grand renfort d'infanterie, de cavalerie et d'éléphants. Il maintint son emprise sur l'Italie pendant les 15 années suivantes, écrasant l'armée romaine à Cannes en 216 av. J.-C. Mais cette dernière, placée sous le commandement du général **Scipion**, conquit l'Espagne. Scipion attaqua ensuite Carthage en 204 av. J.-C., forçant Hannibal à retourner en Afrique du Nord, où il fut vaincu à Zama par les Romains et leurs alliés numides en 202 av. J.-C. Hannibal s'échappa, et trouva refuge à Izmir. Sa tête fut mise à prix et menacé d'être livré aux Romains, il se suicida en 183 av. J.-C.

En dépit des mesures de rétorsion prises par Rome et de la perte de territoires au profit du roi numide Massinissa, Carthage recouvra sa puissance commerciale au cours des 50 ans qui suivirent. En 149 av. J.-C., Rome décida d'éradiquer cette menace une fois pour toutes, et déclencha la **troisième guerre punique** (149-146 av. J.-C.) en lançant une attaque contre la ville. Le siège de trois ans eut raison de Carthage, la plupart de ses habitants périrent dans la bataille, et les rares survivants furent réduits en esclavage. La cité fut brûlée, rasée puis recouverte de sel afin que rien ne puisse jamais y repousser. L'empire carthaginois devint une province romaine appelée **Afrique**.

Romains et chrétiens

Mais Carthage était appelée à renaître de ses cendres. Pendant plus d'un siècle, les Romains se contentèrent de maintenir une présence sur la côte tunisienne et laissèrent les Numides prendre le contrôle de l'intérieur du pays, afin de servir de tampon entre les tribus berbères hostiles. Puis, en 44 av. J.-C., durant la guerre civile romaine, **Jules César** mit pied en Afrique à la poursuite de son ennemi Pompée. Il eut l'idée de reconstruire Carthage, mais fut assassiné avant. Son successeur, **Auguste**, créa une magnifique cité, avec des temples, des thermes, des palais, un forum et un aqueduc de 325 km de long, dont certaines parties subsistent encore autour de Tunis.

La paix régna pendant 200 ans. L'agriculture était florissante et chaque année étaient exportées 500 000 tonnes de céréales. L'amphithéâtre de El Jem, le théâtre de Dougga et les mosaïques exposées au musée du Bardo datent tous de cette époque prospère. Un Africain, **Septime Sévère** devint même empereur romain en 193. Après la chute de la dynastie Sévère en 235, la bonne fortune de Rome connut un déclin, tout comme celle d'Afrique du Nord. Des conflits éclatèrent sur le sol tunisien, et la tribu germaine des **Vandales** déferla d'Espagne en 429, détruisant les aqueducs et pillant tout sur son passage. Elle fonda une colonie

Mosaïque romaine (musée du Bardo).

à Carthage, d'où elle régna sur la contrée pendant près d'un siècle.

Entre-temps, la **Chrétienté** s'était enracinée dans l'empire romain. Le grand théologien **saint Augustin** (354-430), dont les écrits eurent une profonde influence sur la pensée occidentale, naquit en Afrique du Nord, fit ses études à Carthage puis fonda une communauté monastique à Hippone, dans l'actuelle Algérie. Le roi chrétien et empereur byzantin **Justinien** fit chasser les Vandales par le général **Belisaire** en 534. Durant la période de paix qui s'ensuivit, l'art et l'architecture byzantins connurent un formidable essor, ainsi qu'en attestent les nombreuses églises, villas, forteresses et magnifiques mosaïques.

L'arrivée de l'islam

La naissance de l'islam en Arabie, au début du 7ᵉ s., prit le monde par surprise. Après la mort du prophète Mahomet en 632, ses disciples entreprirent de conquérir l'Afrique du Nord au nom de l'islam. Les **Arabes** arrivèrent en Tunisie en 670, fondant une nouvelle cité à l'intérieur des terres, Kairouan, d'où ils entendaient conquérir l'*Ifriqiya*, nom qu'ils avaient donné à la partie centrale d'Afrique du Nord. Ils rencontrèrent une forte opposition de la part des Berbères, et les Byzantins résistèrent à Carthage jusqu'en 698. Cette année-là, la reine guerrière berbère **Dihia la Kahena**, qui avait remporté de nombreuses

victoires contre les Arabes, fut tuée à Tabarka. Débarrassés de leurs derniers véritables opposants, les Arabes entreprirent de fortifier la petite colonie de Tunis et en firent leur nouvelle capitale.

Au début du 8ᵉ s., de nombreux Berbères s'étaient convertis à la nouvelle religion. Mais le calife arabe de Bagdad se trouvait dans l'incapacité de contrôler tous les schismes et toutes les rebellions dans son immense empire. Lorsque Ibrahim el Aghlab parvint à restaurer l'ordre après une rébellion à Tunis en 797, il fonda une dynastie qui domina l'Afrique du Nord au nom des califes jusqu'en 909.

L'ère de la **dynastie des Aghlabides** fut l'apogée de la civilisation islamique en Tunisie. La Grande Mosquée fut érigée à Tunis, ainsi que plusieurs *ribats* (monastères fortifiés) le long de la côte. L'agriculture et le commerce prirent un nouvel essor. Mais la doctrine religieuse, les divisions de classes et la décadence des derniers dirigeants aghlabides suscitèrent une hostilité grandissante. En 909, ces derniers furent supplantés par les **Fatimides**, une secte chiite stricte, dont le chef, Obaïd Allah, prétendait descendre de la fille du prophète, Fatima (la majorité des Tunisiens étaient alors d'obédience sunnite).

Très ambitieux, les Fatimides bâtirent une ville forteresse à Mahdia, puis se lancèrent à la conquête de la Sicile en 912 et de toute l'Égypte en 969, faisant du Caire leur nouvelle capitale. La

Tunisie sombra dans l'anarchie et le déclin, devenant une proie facile pour Roger II, roi normand de Sicile, au 12ᵉ s. Après qu'il se fût emparé de plusieurs villes côtières, les **Almohades**, originaires du Maroc, ripostèrent, unifiant ainsi le Maghreb (Afrique du Nord) sous une seule et même bannière.

En 1230, Abu Zakariyya, gouverneur almohade de Tunisie, proclama la fin de la domination marocaine et l'indépendance de son pays, instituant la **dynastie**

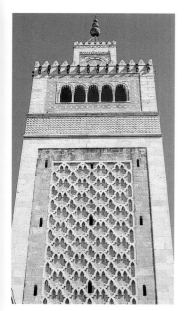

La Grande Mosquée de Tunis date de l'ère Aghlabid.

hafside, à la tête de la Tunisie pendant 300 ans. Son fils, El Mustansir, reçut le titre de calife. La capitale, Tunis, prospéra, point de passage obligé des échanges avec le Sahara, le Soudan et l'Europe. Le premier palais fut construit sur le site du musée du Bardo et la ville se développa au fur et à mesure que s'élevaient de nouveaux quartiers pour les commerçants européens et les immigrants musulmans d'Espagne.

Bien que le pape n'eût pas inscrit la Tunisie sur la route des croisades, Saint Louis débarqua à Carthage avec une armée de **croisés** en 1270. Sa venue était en grande partie motivée par les créances des négociants français, parmi lesquels son propre frère Charles, roi de Sicile. Son soudain décès, causé par une dysenterie, sauva les Hafsides de la défaite, et la paix fut négociée.

Après le décès d'El Mustansir en 1277, la Tunisie fut le théâtre de nombreux conflits avec les tribus berbères, des sultans rivaux ainsi qu'entre chrétiens espagnols, cherchant à établir des avant-postes. Affaiblis, les Hafsides parvinrent néanmoins à rester au pouvoir jusqu'en 1574.

L'Empire ottoman

Durant le 16ᵉ s., la Tunisie devint un sujet de discorde entre la monarchie espagnole des Habsbourg et les Turcs ottomans. Après la chute de Grenade et l'expulsion des musulmans d'Espagne en 1492, les Espagnols envoyèrent des navires à l'assaut des ports d'Afrique du Nord. Entre-temps, deux pirates grecs, les frères El Uruj et Khair ed Din (**Barberousse**) mirent sur pied un « commerce » rentable le long de la côte. Lorsque son frère fut tué, Barberousse demanda l'aide des Turcs. En 1534, il s'empara de Tunis, et l'année suivante, Charles V d'Espagne dépêcha une armée en représailles. Les esclaves chrétiens se soulevèrent contre Barberousse, qui s'enfuit et ouvrit les portes de la cité à Charles, qui se chargea de leur massacre et du pillage de la ville.

Le pouvoir hafside ne fut que brièvement réinstallé, car les Turcs reprirent Tunis en 1574. Ils gouvernèrent par l'intermédiaire des *deys* (officiers militaires) et de leurs *janissaires* (soldats turcs).

L'agriculture et le commerce furent de nouveau florissants, tandis que les pirates sévissaient le long des côtes, partageant leur butin avec les *beys* (gouverneurs).

En 1705, **Hussein Ibn Ali** fut proclamé pacha, premier d'une longue **dynastie husseinite** au pouvoir jusqu'en 1881. Les puissances européennes s'intéressèrent de plus en plus à la Tunisie, mettant fin à la piraterie, et lorsque les *beys* contractèrent des dettes qu'ils furent incapables de rembourser, la France saisit sa chance d'étendre son empire nord-africain.

Le protectorat français

En 1881, les troupes françaises pénétrèrent en Tunisie depuis l'Algérie sous le prétexte de

Le Dar Othman (16ᵉ s.) construit avec l'argent de la piraterie.

stopper les raids des tribus berbères à la frontière, et poussèrent jusqu'à Tunis. Par la signature du **traité du Bardo**, le pays devint un protectorat français, même si le *bey* restait à sa tête.

La Tunisie connut alors une période de développement intense, à la fois sur le plan de l'infrastructure, de l'agriculture et de la population. Et pourtant, plus les colons français achetaient des terres, faisaient fortune ou bénéficiaient d'un meilleur traitement que les Tunisiens, et plus le ressentiment national était fort. Les Tunisiens n'en luttèrent pas moins pour la France durant la Première Guerre mondiale, et le pays devint un champ de bataille entre l'armée allemande et les forces alliées durant la Seconde Guerre mondiale.

Indépendance et émergence de la Tunisie moderne

La plupart des Tunisiens ont toujours désapprouvé l'occupation française, le début du 20ᵉ s. a vu la naissance d'un mouvement indépendantiste. Le **Parti Destour** fut fondé en 1920, mais des divisions entre modérés et extrémistes ne tardèrent pas à se manifester. En 1934, le leader radical **Habib Bourguiba** et ses partisans firent scission pour former le **Parti Néo-Destour**. Ce mouvement fut rapidement interdit et Bourguiba emprisonné, ce qui lui valut un soutien grandissant.

Après la guerre, le gouvernement français tenta d'éradiquer les mouvements indépendantistes en Afrique du Nord. Mais les conflits se soldèrent par des actes terroristes, et les Français accédèrent à la demande d'autonomie tunisienne en 1955. Bourguiba négocia l'accord avant de devenir Premier ministre du pays après la déclaration d'indépendance, le 20 mars 1956.

À l'heure actuelle

Zine El-Abidine Ben Ali assume la présidence depuis le départ de Bourguiba en 1987. Durant la

Le portrait du Président Ben Ali s'affiche dans la médina.

Habib Bourguiba

Le premier président de Tunisie est né à Monastir en 1903. Fils d'un ancien lieutenant de l'armée, il reçoit une bonne éducation à Tunis, où il est non seulement initié à la culture arabe et musulmane, mais aussi à la pensée française et occidentale. Il se rend ensuite à Paris, où il étudie le droit et les sciences politiques à la Sorbonne (1924-1927).

De retour à Tunis, il exerce le droit pendant sept ans et fonde en 1932 un journal nationaliste. Avec la création du Parti **Néo-Destour,** Bourguiba devient une figure clé de la lutte pour l'indépendance tunisienne. Il adopte une approche pragmatique et progressive, étend son influence dans les villages ruraux comme dans les villes, et s'assure que d'autres prennent la relève durant les périodes d'arrestation et d'exil. Il sera emprisonné en Tunisie et en France pendant une durée totale de 10 ans. Il soutient les Alliés durant la Seconde Guerre mondiale et défend ensuite la cause de l'indépendance tunisienne. Enfin, en 1955, Bourguiba négocie un traité avec les Français et en 1956, il devient le Premier ministre d'une nation indépendante. Un an plus tard, la monarchie est abolie et il est élu président. En 1975, Bourguiba est proclamé président à vie par l'Assemblée nationale tunisienne, mais sa santé commence à se dégrader. En novembre 1987, le nouveau Premier ministre **Zine El-Abidine Ben Ali** le destitue pour incapacité à gouverner et lui succède à la tête de l'État. Il décédera chez lui le 6 avril 2000.

Bourguiba a fait de la Tunisie l'un des pays les plus modérés du monde arabe. Il a rédigé une constitution qui hisse l'islam au rang de religion d'état, tout en réduisant le pouvoir du droit islamique. Il a aboli la polygamie et accordé aux femmes l'égalité des droits en matière de divorce. Pour minimiser la menace de coups d'état, il a limité le pouvoir de l'armée. Une grande partie du budget a été allouée à la santé, à l'éducation et à l'agriculture. Sur la scène internationale, il a prôné l'indépendance dans les affaires arabes.

période d'allégresse qui suivit son arrivée au pouvoir, de nombreuses rues et places furent baptisées d'après cette fameuse date du 7 novembre. Les premières tentatives de réforme de Ben Ali consistèrent à abolir la présidence à vie et à libérer des milliers de prisonniers politiques, parmi lesquels de nombreux extrémistes religieux. Cependant, il renforça son autorité dès la première menace de violence et fit interdire les partis politiques religieux.

En 1990, la Tunisie surprit le monde en refusant de prendre part à l'attaque des Alliés contre l'Irak durant la guerre du Golfe. Elle renoua par la suite avec sa position pro-occidentale et Ben Ali concentra ses efforts sur la croissance économique, en particulier le tourisme. Il entama une politique de privatisation et de libéralisation des échanges. En 1995, la Tunisie devint le premier pays arabe à signer un accord de libre échange avec l'Union européenne.

Ben Ali a remporté les élections présidentielles de 1994 et 1999 sans difficulté. La Tunisie moderne, en particulier sa capitale Tunis et la région environnante, connaît une prospérité grandissante qui ne profite cependant pas à tous (les écarts se creusent entre les couches sociales aisée et pauvre). Par ailleurs elle s'efforce de faire coexister les modes de vie arabe et occidental.

UN PEUPLE ET SA CULTURE

L'alliance de la tradition et de la modernité

L'histoire mouvementée de la ville de Tunis a donné naissance à une population plus sophistiquée que celle du reste du pays, réputé pour être la nation musulmane la plus tolérante, une nation où il fait bon vivre. Les Tunisiennes jouissent d'une liberté accrue, d'un meilleur accès aux études et de conditions de vie plus favorables que dans les autres pays musulmans, grâce aux réformes du précédent président Bourguiba. Celui-ci ayant aboli la polygamie et légalisé le divorce, il n'est donc pas rare de rencontrer des femmes tunisiennes émancipées, qui ont mis fin à une union dans laquelle le mari les réduisait en esclavage. Plus généralement, le peuple tunisien est mieux éduqué que ses voisins d'Afrique du Nord. L'enseignement y est gratuit, et environ 25 % du budget gouvernemental est affecté à l'enseignement. Son taux d'alphabétisation de 70 % est particulièrement élevé pour un pays dont la population majoritairement rurale vit du travail de la terre dans des zones parfois désertiques.

À l'instar des citadins du monde entier, les Tunisois sont tournés vers l'international. Ils savent ce qui se passe dans le monde et connaissent la place qu'ils y occupent. Ils apprécient les discussions politiques bien qu'ils restent réservés au premier abord. Ils ont un grand sens de l'humour et bavardent volontiers avec leurs voisins dans les restaurants, les cafés ou encore dans la rue. Vous verrez également des couples flirter d'une manière plus parisienne que musulmane. Cette ouverture d'esprit ne doit pas faire oublier que la Tunisie est un pays islamique. Ne buvant pas d'alcool, les Tunisiens peuvent tolérer le fait que les étrangers en vacances aiment en consommer, ils sont même heureux d'en produire, mais les touristes doivent se rappeler que la consommation d'alcool n'est pas coutumière. Restez donc discret. De même souvenez-vous que si les femmes sont relativement libérées, elles doivent être décemment vêtues. Réservez les maillots de bain aux piscines et aux plages. Hommes et femmes doivent se montrer respectueux lorsqu'ils visitent les mosquées, et ne pas ignorer que certaines salles sont destinées à la prière, et interdites aux non-musulmans.

Des arts sous influence

Pour les visiteurs étrangers, la facette la plus visible de la culture islamique est son **architecture**. Les élégants minarets et les étincelants carrelages turquoise sont deux éléments architecturaux parmi tant d'autres, contribuant à faire des villes musulmanes de véritables régals pour les yeux (*voir* pp. 20-21).

La **musique** occupe une place importante dans la vie tunisienne. Hélas, rares sont les visiteurs suffisamment chanceux pour l'entendre comme elle devrait être jouée, à l'occasion d'un mariage, d'une fête célébrant une naissance ou d'un autre événement familial heureux. Les spectacles improvisés dans les cafés, auxquels on peut assister dans certains pays, ne sont pas une coutume tunisienne. Il faudra vous contenter des concerts de musique folklorique et des spectacles de danse organisés par les grands hôtels, qui d'ailleurs ne sont pas dénués de charme. Les percussions rythmées jouent un grand rôle dans la musique tunisienne et sont souvent accompagnées d'instruments à cordes comme le luth dans les villes, ou d'instruments à vent tels que les flûtes et les cornemuses dans les villages bédouins plus au sud. Ces deux styles musicaux se rejoignent à Tunis, où ils sont interprétés avec des danses énergiques, comme la danse traditionnelle au cours de laquelle le danseur place des jarres sur sa tête et augmente progressivement leur nombre tout en tournoyant. Le *malouf* a été introduit en Tunisie au 15e s. par des réfugiés andalous, ce qui explique les sons lancinants de la musique tsigane et arabe. Devenue musique nationale tunisienne, il alterne des passages instrumentaux avec tambours, luth et violon et des passages vocaux chantés par un soliste. Cette forme traditionnelle a évolué en un véritable spectacle, avec orchestre et chœur. Il existe même un orchestre entièrement féminin, appelé El-Azifet.

Les **littératures** française et tunisienne se sont nourries l'une de l'autre. L'exemple le plus illustre est celui de Flaubert, qui passa un mois en Tunisie à effectuer des recherches pour son roman *Salammbô*, dont l'action se déroule dans l'ancienne Carthage. Guy de Maupassant et André Gide ont également voyagé en Tunisie, qui a servi de décor à plusieurs de leurs œuvres. Les auteurs tunisiens les plus célèbres ont émigré à Paris, écrivant à la fois en français et en arabe, notamment dans le but d'élargir leur lectorat. Le roman d'**Albert Memmi**, intitulé *La statue de sel*, est basé sur la propre enfance de l'écrivain dans le quartier juif de Tunis, et ses autres ouvrages traitent du problème d'identité des juifs nord-africains baignant dans une autre culture. **Mustapha Tlili**, qui a étudié à Paris avant de partir vivre à New York, a abordé l'impact de la modernité et du tourisme dans un petit village tunisien dans son roman *La montagne du lion*.

Dans le domaine de la **peinture**, la Tunisie a également exercé une influence sur les artistes étrangers, qui l'ont enrichie à leur tour. **Paul Klee** s'y est rendu en 1914, et la lumière ainsi que les couleurs d'Afrique du Nord ont considérablement influencé ses dernières œuvres. En 1949, des artistes français et tunisiens ont

Cavalier arabe traditionnel.

joint leurs efforts pour fonder l'**École de Tunis**. Elle a eu pour effet de remettre en cause la nature de l'art tunisien et les peintres ont rejeté l'ascendance coloniale pour renouer avec leurs racines arabo-musulmanes.

Il n'est que d'assister aux Journées Théâtrales de Carthage ou de se rendre au musée d'Art moderne pour mesurer le dynamisme d'une nouvelle génération d'artistes soucieuse de trouver une forme d'expression personnelle susceptible de transmettre la richesse du passé, de répondre aux préoccupation actuelles, d'appréhender l'avenir et d'ainsi contribuer à l'affirmation d'une identité.

L'architecture islamique

L'architecture islamique est exemplaire, avec ses murs blancs, ses élégants minarets, ses céramiques aux motifs réguliers et la complexité de ses mosquées. Et pourtant, elle ne peut être parfaite, car seul Allah est capable de perfection dans ses créations ; l'art et l'architecture islamiques doivent donc comporter une certain degré d'imperfection.

L'autre aspect important de l'architecture islamique est qu'elle n'autorise aucune représentation humaine ou animale. On n'y trouvera donc ni les icônes communes aux églises byzantines, ni les statues propres à la religion chrétienne. En fait, le *Coran* ne stipule pas clairement une telle interdiction, mais la religion veut qu'aucun musulman ne cherche à représenter le prophète Mahomet. Dépourvus de telles statues et peintures, les édifices islamiques n'en sont que plus gracieux car ils renferment des trésors de motifs décoratifs abstraits.

Les maisons tunisiennes, appelées *dar*, sont construites selon un plan simple. Les pièces de la maison entourent une cour centrale et s'ouvrent sur elle, sans fenêtre sur les murs extérieurs. L'entrée est conçue de manière à dissimuler la cour aux passants étant donné que les femmes de

Minaret (à gauche) et intérieur du Dar Othman (à droite) dans la médina.

la maison s'y détendent et y travaillent en ôtant leur voile. À Tunis, les femmes voilées constituent plutôt une exception (Bourguiba considérait le voile comme dégradant), mais les principes architecturaux respectent toujours cette règle. Les visiteurs ne voient donc que les larges portes en bois ouvragées (plus ou moins selon la richesse des propriétaires), qui marquent la frontière entre le monde extérieur et le cercle familial privé. La plupart de ces portes possèdent un heurtoir en forme de main. Il s'agit de la main de Fatima, fille du prophète, censée protéger la maison du mauvais sort.

À VOIR ABSOLUMENT

La Médina★★

La **médina★★**, qui fait la joie et la fierté de Tunis, est l'ancienne ville. Derrière ses murs d'enceinte, la vie s'écoule comme elle le fait depuis des siècles et les visiteurs continuent de s'y émerveiller.

Les souks★★

À l'intérieur de la médina, les **souks★★** sont divisés en quartiers spécialisés dans les parfums, les épices, les bijoux, les tapis, les articles en coton ou en laine, etc. Si vous voulez percer tous leurs secrets, ne craignez surtout pas de vous y perdre !

La Grande Mosquée★★

Chaque médina possède en son centre sa **Grande Mosquée★★**, et celle-ci est la plus ancienne et la plus grande de Tunis, ainsi que la deuxième mosquée du pays de part la taille. Les non-musulmans devront se contenter d'un coup d'œil dans la cour intérieure.

Le musée du Bardo★★★

Ce musée relativement méconnu abrite la plus belle collection de **mosaïques romaines** du monde, surpassant même celle de Rome. Si vous n'avez prévu qu'une seule étape culturelle durant votre séjour, ne manquez pas ce musée.

Les thermes d'Antonin★★

La Carthage romaine a presque été entièrement détruite et les **thermes d'Antonin★★** sont les plus prestigieux vestiges de cette époque. Près de la mer, une maquette des thermes vous permettra de mieux en mesurer la splendeur passée.

Sidi Bou Saïd★

Décrite comme l'une des plus magnifiques villes méditerranéennes, cette station balnéaire, avec ses maisons chaulées aux portes et volets d'un bleu éclatant, vous laissera un souvenir éblouissant.

Dougga★★★

Sans doute le plus beau site archéologique du pays (bien que d'autres prétendent à ce titre !). En outre, Dougga surplombe une vallée presque aussi impressionnante que ses vestiges romains parfaitement préservés.

Hammamet★

En visite à Tunis, tôt ou tard vous viendra l'envie de vous rendre sur la côte. Proche de la capitale,

Hammamet★ est digne d'intérêt, avec ses superbes plages, sa **kasba★** et sa médina.

Kerkouane★★

C'est dans ce merveilleux décor, sur un promontoire surplombant la Méditerranée, que se trouvent les plus beaux **vestiges puniques** du pays, formant une ville qui comptait autrefois 2 000 habitants.

Le théâtre romain de Dougga plante le décor d'un site extraordinaire.

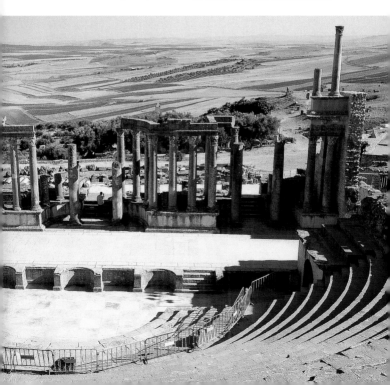

LA MÉDINA★★

La **médina★★** de Tunis existe depuis 1 400 ans environ, et son inscription en 1979 au Patrimoine mondial de l'UNESCO atteste de sa valeur architecturale et culturelle. Elle était le cœur de la cité jusqu'à l'arrivée des Français en 1881, lesquels commencèrent alors à moderniser la ville autour des murs d'enceinte, sonnant ainsi le déclin de la ville ancienne. Cette dernière a continué cependant à jouer son rôle de place marchande, et ses ruelles et souks sont toujours occupés par des marchands de toutes sortes, ressemblant davantage à des vendeurs de souvenirs au fur et à mesure que l'on s'approche de la **Porte de France**.

Construite en 1848, 12 ans après l'achèvement de l'Arc de Triomphe à Paris, la principale entrée de la médina a été affublée de plusieurs noms : Bab el Bahr, Porte de la Mer et Petit arc de triomphe. Elle se dresse sur la **place de la Victoire**, à l'extrémité ouest de l'avenue Habib

La porte de France au milieu de la place de la Victoire : un point de passage entre la médina et la ville moderne.

Bourguiba, et constitue le point de départ d'un dédale de ruelles s'enfonçant dans la médina.

Deux rues principales partent de la Porte de France dont la **rue Jamaa ez Zitouna**. Vous vous sentirez probablement un peu à l'étroit dans cet endroit le plus fréquenté et le plus touristique de la médina. Bordé de boutiques de souvenirs tenues par des marchands on ne peut plus convaincants, ne vous précipitez cependant pas dans vos achats car vous aurez tout le loisir de trouver votre bonheur au cours de vos pérégrinations dans les souks ! Certes cette rue exiguë ne donne pas une image très représentative de la ville ancienne, mais elle vous conduira à l'entrée de la Grande Mosquée. Méfiez-vous des jeunes gens qui proposent de vous guider à travers les souks, pour vous montrer les curiosités ou une exposition berbère, car vous finirez immanquablement chez un marchand de tapis. Même s'ils s'avèrent très affables, il semble aussi difficile de s'en défaire, ne les laissez pas vous détourner de votre chemin.

L'animation de la rue Jamaa ez Zitouna pour se mettre dans le bain des souks.

La Grande Mosquée**

Grimpez les marches menant à l'entrée de la **Grande Mosquée** ** *(8 h-12 h , fermée aux non-musulmans le vendredi. Entrée payante. Tenue correcte exigée.)* sur votre droite, en haut de la rue Jamaa ez Zitouna. Également baptisée **Jamaa ez Zitouna** (Mosquée de l'Olivier), la mosquée est présente sur le site depuis l'an 698 et mérite donc son titre de plus vieille mosquée de Tunis. Hélas, il ne reste rien de la première construction. L'émir aghlabide Ibrahim Ibn Ahmed ordonna sa reconstruction en 856-863, ensuite elle fut agrandie puis rénovée au fil des siècles. Et pourtant, en dépit de toutes ces transformations, la Grande Mosquée a conservé sa forme initiale. Sa superficie d'environ 5 000 m² fait d'elle la deuxième plus grande mosquée de Tunisie.

Avis aux non-musulmans : interdiction de pénétrer dans la Grande Mosquée.

La vue du minaret, des toits de la médina, est tout aussi intéressante.

Après avoir dépassé l'entrée, les non-musulmans peuvent admirer, sans pouvoir y accéder, la cour bordée sur trois côtés de galeries construites par les Turcs en 1653. Érigé en 1834, en remplacement du précédent, le grand **minaret** (44 m) est visible depuis de nombreux endroits de la médina. La cour connaît une légère déclivité de manière à permettre la collecte des eaux de pluie dans des citernes se trouvant juste en dessous.

Recouverte d'une magnifique coupole décorative, la **salle de Prière★★★**, pouvant contenir jusqu'à 2 000 fidèles, est interdite aux non-musulmans. Elle abrite 184 colonnes provenant de divers sites antiques de Tunisie, notamment de Carthage, et est éclairée par des lustres en verre de Venise.

La Grande Mosquée était autrefois renommée dans toute l'Afrique pour son université islamique, et sa bibliothèque renferme l'une des plus belles collections de littérature arabe au monde. L'université a été fermée par le président Bourguiba peu après la proclamation de l'indépendance tunisienne en 1956, selon sa volonté de limiter l'influence de la religion sur la société moderne qu'il cherchait à créer. Elle fut cependant rouverte en 1987 par le président Ben Ali, afin de permettre aux musulmans d'y poursuivre à nouveau leurs études.

Les trois médersas★

En sortant de la Grande Mosquée, prenez à droite et au passage jetez un œil sur le plan en céramique de la médina afin de vous repérer avant d'entrer dans le **souk des Libraires**. Vous trouverez sur votre droite un groupe d'édifices connu sous le nom des **trois médersas★**. Les médersas sont des écoles coraniques où les étudiants résident et étudient. Le premier de ces bâtiments est la médersa du Palmier (1714), qui doit son nom à l'arbre qui se trouvait autrefois dans la cour, puis vient la médersa Bachiya (1752) et enfin la médersa Slimaniya (1754), la seule ouverte au public *(aux mêmes heures que la Grande Mosquée. Entrée libre mais une pièce sera appréciée.)*.

Revenez sur vos pas, passez devant la Grande Mosquée et tournez à droite dans le **souk el Attarine**★★ (souk des Parfumeurs), où l'exotisme bat son plein pour les visiteurs étrangers. Chaque boutique est remplie de petits flacons de parfum reproduisant toutes les couleurs de l'arc-en-ciel ; certains semblent posés là depuis la création du souk, au 13e s. Les propriétaires des échoppes laissent volontiers les éventuels clients, tunisois pour la plupart, essayer les parfums. C'est ici notamment que les futures mariées viennent faire leurs emplettes pour la cérémonie.

Mélange subtil de fragrances dans le souk el Attarine.

Sur votre droite, au beau milieu du souk couvert, se trouve l'entrée principale de la **Bibliothèque nationale**. Ancienne caserne édifiée par les Turcs en 1814, elle abritait à l'étage des dortoirs s'ordonnant autour d'une cour intérieure, et qui contiennent désormais la collection nationale de livres, manuscrits et autres documents, issus pour la plupart de la Grande Mosquée et des médersas.

Mosquée et Mausolée Hammoûda Pacha

Longez à nouveau le souk el Attarine puis prenez à droite la rue Sidi Ben Arous. C'est le souk des vendeurs de chéchias, aux étals colorés. Sur votre droite, au croisement de la rue de la Kasba se dressent la **mosquée** et le **mausolée Hammoûda**

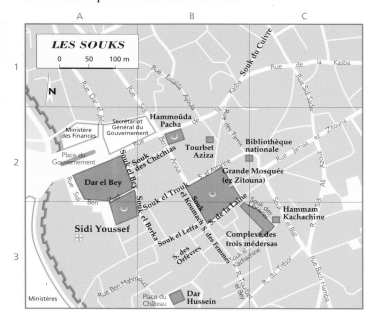

Pacha. Ils ont tous deux été édifiés en 1655 par le bey Hammoûda Pacha, l'un des hommes les plus puissants et les plus riches de son époque. Ce dernier a laissé son empreinte à Tunis, à travers les souks, hôpitaux, mosquées ainsi que le palais Dar el Bey qu'il a fait construire. La mosquée

La mosquée et le mausolée Hammoûda Pacha avec son minaret ottoman, reconnaissable à sa forme octogonale.

Hammoûda Pacha reflète son désir d'inclure un édifice religieux dans son patrimoine, même s'il a également utilisé la mosquée pour ses activités personnelles, comme en témoigne son intérieur italianisant richement décoré. On retrouve les influences ottomanes dans l'élégant minaret octogonal. Le mausolée a servi de modèle pour la construction de la dernière demeure d'Habib Bourguiba, inhumé à Monastir.

Deux styles de minarets : ottoman pour la mosquée Sidi Youssef (au premier plan) et arabe pour la mosquée de la kasba (au second plan).

Mosquée Sidi Youssef★

Revenez sur vos pas dans le **souk el Attarine★★** jusqu'au **souk el Trouk★★** (souk des Turcs), où vous trouverez tapis, sacs et autres articles en cuir. Entre deux achats, vous pourrez faire une halte au café *M'rabet* pour savourer un thé à la menthe avec des pignons.

Ce souk couvert débouche sur la **mosquée Sidi Youssef★**, également dénommée mosquée de Youssef Dey, et érigée en 1616 par un architecte espagnol qui maria, entre autres, les styles architecturaux maure espagnol et turc. Ainsi, le minaret octogonal turc possède un auvent, le premier du genre à Tunis qui s'est depuis largement répandu, et sous lequel le muezzin s'abritait pour l'appel à la prière, les jours de pluie.

La mosquée jouxte le **Dar el Bey★**, palais du 18e s. dont les flamboyantes et extravagantes décorations intérieures andalouses étaient suffisamment somptueuses pour accueillir les hôtes des gouvernants. Il héberge désormais les bureaux du Premier ministre et du ministère des Affaires étrangères. Pour le voir avec davantage de recul, longez le souk el Bey puis tournez à gauche pour arriver sur la **place du Gouvernement** aérée et arborée, de quoi se sentir perdu après avoir arpenté le réseau de ruelles de la médina ! Là les gardes en uniforme font forte impression et les photographies sont interdites. Montez jusqu'à la **place de la Kasba** qui domine la ville. Cette esplanade venteuse est fermée par la Maison du Parti de style arabisant.

La voix du muezzin qui soudain appelle à la prière tandis que vos pas vous guident à travers les ruelles embaumant le café et les épices : c'est l'éveil des sens dans la médina.

Les Souks★★

Impossible et surtout impensable de visiter Tunis, ou une autre ville du monde arabe, sans faire un tour dans les souks. Ces marchés sont agglutinés dans les quartiers anciens des villes, et chacun est généralement spécialisé dans un produit ou un artisanat particulier. La population locale avertie peut ainsi facilement comparer les produits et les prix, hautement concurrentiels. De son côté le touriste, peu familiarisé aux tarifs pratiqués, est plutôt désavantagé ! Une partie du charme consiste à déambuler dans le labyrinthe des souks animés et à se prendre au jeu du marchandage et du baratin multilingue des marchands s'efforçant de deviner la nationalité des clients potentiels.

Que vous ayez ou non l'intention d'acheter quelque chose, une visite des souks s'impose. Le meilleur moment pour s'y rendre est tôt le matin, lorsque les boutiques et les échoppes s'animent, ou le soir, lorsque les clients émergent de leur torpeur. Mais les souks ne sont pas uniquement réservés au shopping, ils sont également un lieu de réunion, où l'on vient boire du thé ou du café. C'est ainsi que les marchands passent le temps, jusqu'à ce qu'ils aperçoivent un client potentiel. À Tunis, éloignez-vous des boutiques de souvenirs et partez à la découverte des véritables souks. La tradition veut que l'on trouve les articles les plus chers, comme l'or et les parfums, près de la Grande Mosquée, au centre de la Médina. Il faut pousser plus loin pour trouver les articles plus courants, comme les vêtements et les ustensiles de cuisine. Vous pourrez réaliser de bonnes affaires en achetant des articles en cuir et des bijoux. Les gastronomes auront la possibilité de se procurer des épices exotiques pour un coût modique. Bref, vous trouverez de tout dans la médina de Tunis, y compris un souk unique dans le pays : le **souk des Chéchias**, dans la rue Sidi Ben Arous.

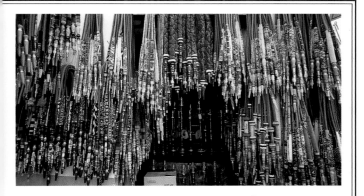

L'un des plus beaux souks de la ville est le **souk el Attarine**★★ (souk des Parfumeurs), qui date du 13ᵉ s. *(voir p. 32)*. Dans le **souk el Trouk**★★ (souk des Turcs), les vêtements, tapis et articles en cuir sont exposés dans une rue couverte d'élégantes voûtes. Certaines boutiques possèdent des terrasses dominant la médina et on vous invitera certainement à y monter pour admirer la vue panoramique, mais ne vous sentez pas obligé d'acheter quelque chose en retour. Les bijoux et pierres précieuses ont remplacé les malheureux esclaves autrefois vendus aux enchères dans l'ancien **souk el Berka**★★★. Autour de ces bijouteries règne une ambiance plus formelle. À l'extrémité du **souk el Leffa**★★★, longeant la façade ouest de la Grande Mosquée, le **souk el Koumach**★★ (souk des Étoffes), regorge de tissus aux multiples couleurs.

Chéchia, chicha *et cuivres dans les souks de la médina.*

LA MÉDINA SUD

Retournez dans le souk el Trouk puis pénétrez dans le **souk el Berka★★★**. À mi-chemin, sur votre droite, vous tomberez sur une petite place où se tenait jadis le marché aux esclaves. Ensuite tournez à gauche dans le **souk el Leffa★★★**, spécialisé dans les tapis de toutes tailles, et au bout, derrière la Grande Mosquée, tournez à droite dans le souk des Femmes qui aboutit à la rue Tourbet el Bey. Parcourez une centaine de mètres dans cette rue résidentielle à l'écart de l'animation pour trouver sur votre gauche le mausolée **Tourbet el Bey★** *(ouvert du mardi au samedi de 9 h 30 à 16 h 30. Entrée payante.).*

Construit à la fin du 18ᵉ s. par Ali Pacha II, il renferme d'innombrables tombes de souverains turcs de la dynastie husseinite et de membres de leurs familles. C'est le plus vaste monument

Au Tourbet el Bey reposent les souverains husseinites et leur famille.

funéraire de Tunis mais son élégante architecture lui ôte tout aspect macabre. Un dôme de tuiles vertes recouvre les salles d'origine, tandis que les salles plus récentes sont coiffées d'une coupole ovale. À l'intérieur, les murs sont décorés de céramiques jaune et orange, le marbre polychrome de style italien étant réservé aux tombeaux des souverains. Une colonne coiffée d'un turban gravé dans la pierre signale les tombes masculines, tandis que celles des femmes sont reconnaissables aux plaques de marbre disposées à chaque extrémité.

La cour paisible du Dar Ben Abdallah qui abrite à présent le musée des Arts et Traditions populaires.

En sortant du Tourbet el Bey, tournez à droite, puis encore à droite dans une venelle qui débouche sur la rue Sidi Kassem (*n'ayez crainte de vous égarer, le chemin est fléché*). Prenez ensuite à droite dans la rue Ben Abdallah qui mène au **Dar Ben Abdallah**★ *(ouvert du mardi au dimanche de 9 h 30 à 16 h 30. Entrée payante.)*. Cet autre palais du 18ᵉ s., l'un des plus beaux de la médina, héberge désormais le **musée des Arts et Traditions populaires**. Depuis la cour centrale, vous avez un aperçu de la vie à Tunis à la fin du 19ᵉ s. Elle ouvre en effet sur quatre salles retraçant respectivement la vie du maître de maison, de l'épouse, de la femme de classe moyenne et de l'enfant, d'une façon très vivante, avec force costumes, meubles, jouets, bijoux et objets domestiques. Par ailleurs, si la petite pièce renfermant l'école coranique présente peu d'intérêt, la cuisine vaut le coup d'œil.

De retour au Tourbet el Bey, prenez à droite dans la rue Tourbet el Bey puis à gauche dans la rue du Riche et enfin à droite dans la **rue des**

L'une des pièces du dar Ben Abdallah où le maître de maison fait salon.

Andalous★. Cette rue, l'une des plus belles de la médina, quoiqu'en mauvais état par endroits, doit son nom aux riches réfugiés andalous qui y vivaient. Les porches majestueux à arc outrepassé rappellent le statut social de leurs propriétaires initiaux, et cette rue résidentielle est un véritable havre de paix loin de l'agitation des souks.

De la rue des Andalous, tournez à gauche dans la rue du Dey puis encore à gauche dans la rue Mahsen. Le **Dar Hussein★** s'élève sur la place du Château. Ce superbe palais, œuvre des Français datant de la fin du 18ᵉ s, est désormais le siège de l'**Institut national d'archéologie et d'art** ainsi que d'autres administrations gouvernementales. Il est fermé à la visite, mais si la porte d'entrée était ouverte, demandez la permission d'admirer son merveilleux patio, on vous l'accordera volontiers.

Pour sortir du labyrinthe de la médina, rejoignez la rue Mahsen, prenez à droite dans la rue du Dey, puis à gauche et pour finir à droite, dans le souk el Kachachine. Enfoncez-vous dans le souk et après avoir croisé quelques rues, tournez à droite puis immédiatement à gauche, en traversant le souk des Femmes. Laissez la médersa Slimaniya sur votre gauche, puis tournez à gauche dans le souk des Libraires, pour déboucher devant la Grande Mosquée. Tournez à droite dans la rue Jamaa ez Zitouna. Mais avant de redescendre vers la place de la Victoire, pourquoi ne pas vous arrêter à la terrasse du café *Zitouna* sous le passage couvert pour fumer la *chicha* (entre hommes, les dames se contenteront d'un thé sachant que leur présence est tout juste tolérée dans les cafés), en regardant défiler les passants ?

LA VILLE MODERNE

Bâtie après la signature du protectorat français en 1881, la nouvelle Tunis est caractérisée par une urbanisation typiquement coloniale dans un quadrillage de larges rues et avenues, bordées de boutiques, banques et cafés. Le cœur de la ville moderne de Tunis est la vaste **avenue Habib Bourguiba**, créée par les Français à la fin du 19e s. et rebaptisée depuis en l'honneur de l'ancien président Bourguiba. Le long de cette belle avenue de 1,5 km se trouvent plusieurs des principaux monuments de la ville, et chaque soir les Tunisois viennent se promener sur ses trottoirs plantés de ficus. Elle est prolongée à son extrémité ouest par l'avenue de France, reliant la

Bâtiments élégants et belles façades : héritage de l'architecture coloniale française.

Vaste promenade encadrée de ficus sur l'avenue Habib Bourguiba.

place de l'Indépendance et la Porte de France, qui signale l'entrée de la médina.

Depuis la Porte de France, tournez à droite dans la rue el Jazira, puis à gauche dans la rue d'Allemagne pour rejoindre le **marché central** *(ouvert tous les jours de 6 h à 14 h)*. À l'inverse des souks, ce marché semblera familier à la plupart des visiteurs occidentaux. On y trouve les étals des bouchers (cœurs sensibles s'abstenir), des poissonniers et des maraîchers. Ceux qui pensaient que la Tunisie était un pays aride et désertique en seront pour leurs frais. Les produits locaux comme les oranges, pommes, bananes, fraises, haricots verts, olives et raisins forment des monticules colorés, jouxtant les épices, les fleurs odorantes et les éventaires bien tentants des boulangers.

Au bout de la rue d'Allemagne prenez à droite la rue Jamel Abdenasser pour rejoindre la place de l'Indépendance où s'élève la **cathédrale St-Vincent-de-Paul** *(ouverte tous les jours de 8 h à 12 h, lundi et samedi de 15 h à 18 h)*.

Place de l'Indépendance, le grand philosophe Ibn Khaldoun sur son piédestal ignore la cathédrale St-Vincent-de-Paul.

Cet édifice catholique (1882) est un curieux mélange de styles roman, gothique, byzantin et moyen-oriental. Elle possède de superbes vitraux, dont certains sont ornés de motifs modernes aux couleurs éclatantes.

Traversez la place et descendez l'avenue Habib Bourguiba. À l'angle de la rue de Grèce, vous rencontrerez le **Théâtre municipal** dont la façade a été restaurée grâce à l'« Association sauvegarde de la médina » qui s'efforce de préserver un patrimoine architectural quelque peu délaissé. Cet édifice de style Art nouveau, construit par les Français en 1911, est la scène de concerts de musique classique occidentale et arabe. À l'intersection suivante vous tomberez sur le *Café* *de Paris*, lieu de rencontre très populaire, et l'un des rares établissements à posséder une terrasse. Vous passerez ensuite devant l'immense ministère de l'Intérieur, et vous arriverez sur la grande **place du 7 novembre**. Elle célèbre l'accession au pouvoir de l'actuel président Ben Ali. Non loin se situe le principal Office de tourisme (**ONTT**, 1 av. Mohammed V), assez pauvre en documentation.

Parc du Belvédère★

Le parc du Belvédère : une oasis dans le centre-ville.

Au Nord de la place du 7 novembre, l'avenue Mohammed V conduit *(au bout de 2 km, vous pouvez aussi vous y rendre par le métro, station*

Peintures contemporaines d'artistes tunisiens rassemblées dans le musée d'Art moderne.

Palestine) au **parc du Belvédère★**. Aménagé à flanc de colline, ce parc paisible, bien que coupé par des routes, est le plus grand de Tunis (100 ha).

Non loin de l'entrée, située dans sa partie inférieure côté place Pasteur, se trouve le **musée d'Art moderne** *(ouvert du mardi au dimanche de 9 h à 17 h. Entrée gratuite.)*. Installé dans le bâtiment de l'ancien casino, il recèle une belle collection d'œuvres d'artistes modernes majoritairement

La Koubba, pavillon arabo-andalou fut transféré dans le parc du Belvédère. Un joyau dans un écrin de verdure.

tunisiens, mais également originaires d'Afrique du Nord et du Moyen-Orient.

À l'Ouest du musée, en haut du parc, ne manquez pas la **Koubba.** Ce singulier pavillon de style arabo-andalou fut construit en 1798 pour un palais d'un autre quartier, avant d'être transféré ici en 1901. L'ensemble très élaboré se compose de colonnades, de coupoles, de galeries et de vitraux. De sa terrasse, vous apprécierez les superbes **vues** sur Tunis.

Dirigez-vous enfin vers la pointe sud du parc, le **jardin zoologique** *(zoo ouvert du mardi au dimanche de 9 h à 18 h. Entrée payante.)* héberge un certain nombre d'animaux africains : lions, hippopotames, singes, serpents, oiseaux exotiques…

Musée du Bardo★★★

Prenez un taxi depuis le centre, ou la ligne 4 du métro jusqu'à la station Bardo. Le musée est ouvert du mardi au dimanche de 9 h à 17 h en été, et de 9 h 30 à 16 h 30 hors saison. Entrée payante.

À 4 km au Nord-Ouest du centre-ville, le plus beau musée du pays rassemble une inégalable collection de mosaïques romaines. Plantées dans le décor d'un impressionnant palais du 19e s., ancienne demeure d'un *bey* husseinite (gouverneur régional), elles révèlent un excellent état de conservation dû au climat sec et chaud ainsi qu'au sable du désert qui a recouvert durant des siècles nombre de vestiges romains.

À défaut de visite organisée, les services d'un guide vous permettront de mieux percer les secrets des antiquités. Au préalable, mettez-vous d'accord sur le tarif qui ne doit pas être prohibitif et demandez à voir sa licence. Sinon, procurez-vous un plan *(payant)* à l'entrée puis suivez votre intuition pour vous retrouvez dans ce dédale. Réparties sur trois étages et des paliers intermédiaires, les salles n'ont pas d'ordre chronologique, la plupart tirent leur nom de leur contenu.

Au rez-de-chaussée, la **salle Thuburbo Majus** recèle des statues et mosaïques prélevées sur le site du même nom (*voir* p. 81). On remarquera la pièce 124, bas-relief du 1er s., représentant deux **ménades**. Les autres principales salles de ce niveau sont la **salle Bulla Regia**, celle des **Mosaïques paléochrétiennes**, les **salles puniques**, le nouveau **département d'Archéologie islamique** et les **salles de la Préhistoire**.

Le premier étage compte plusieurs salles passionnantes, où vous vous attarderez pour apprécier pleinement le détail et la beauté de certains objets exposés. Dans la **salle de Carthage** (ou salle des Sculptures), les mosaïques d'Oudna et les petites **céramiques ornementales★** illustrent magnifiquement des scènes de la vie quotidienne à la campagne. Les murs et les sols de la **salle de Dougga** sont recouverts de mosaïques, dont l'une des plus belles de la collection représentent le

Des statues romaines encadrent les mosaïques dans la salle de Carthage.

Dieu Neptune et les quatre saisons★★★ (La Chebba). En excellent état de conservation, cette œuvre du 2ᵉ s. est le meilleur exemple du travail délicat des artistes. En face, vous pouvez admirer une autre œuvre remarquable, extraite du sol du frigidarium des thermes des Cyclopes à Dougga, et qui représente trois **Cyclopes**★ forgeant des éclairs pour Jupiter. Dans la **salle d'Ulysse** (ou salle des Mosaïques marines), la **mosaïque d'Ulysse**★★★, autre merveille de la collection, représente le héros de l'Odyssée d'Homère attaché au mât de son navire pour ne pas succomber au chant des sirènes. Enfin, provenant du site de Sousse, la **mosaïque de Virgile**★★★ (3ᵉ s.), décrite par certains spécialistes comme la plus belle mosaïque du monde, domine la **salle de Virgile**. Outre sa beauté et sa rareté, elle présente la caractéristique d'être le seul portrait connu du poète.

La mosaïque d'Ulysse provenant de Dougga, l'une des plus belle de cette superbe collection.

Au même étage, d'autres salles réunissent des collections de pièces prélevées sur d'autres sites tunisiens, dont l'amphithéâtre romain de El Jem (en meilleur état de conservation que le Colisée à Rome). La **salle de Sousse** abrite l'une des plus grandes mosaïques du musée, le **Triomphe de Neptune**★★ (3e s.), qui ornait autrefois une maison de la ville de Sousse. La pièce maîtresse de la salle provient d'une villa à Carthage : **Lord Julius**★★★. Cette série de mosaïques des 4e et 5e s. retrace la vie d'un riche propriétaire terrien, Julius, et illustre le mode de vie d'Afrique du Nord.

En descendant quelques marches, vous découvrirez une collection d'art populaire tunisien, et plus loin, un superbe patio qui dessert des salles contenant des objets du 9e au 13e s. De l'encadrement de la porte il ne sera pas toujours aisé d'apprécier ces instruments de musique, manuscrits, peintures, bijoux et autres. Cette partie du musée étant en cours d'aménagement, il faut s'attendre à ce que les expositions varient.

De salle en salle, d'émerveillement en émerveillement, sur les traces d'un passé reconstitué par petits morceaux.

La mosaïque de Virgile montre le fameux poète entre deux muses : Melpomène (la tragédie) et Clio (l'histoire).

Parmi les salles récemment ouvertes : la reproduction d'un **jardin romain** et la **salle du Mausolée**, dont certaines mosaïques gigantesques recouvrent des pans de murs entiers. Mais c'est la **salle de Mahdia** qui retient particulièrement l'attention. Elle rassemble des trésors retrouvés dans une épaves qui gisait par 39 m de fond à 5 km de Mahdia. Le vaisseau transportait une cargaison d'œuvres d'art de la période hellénistique (3e-2e av. J.-C.) destinée à la décoration d'une demeure romaine, mais une tempête en décida autrement !

Au second étage, on peut faire le tour d'une vaste galerie surplombant la salle de Carthage. Là vous verrez encore des mosaïques de scènes de chasse ainsi qu'une galerie des terres cuites et des bronzes. Avant de quitter le musée, allez faire un tour dans la boutique de souvenirs et une pause bien méritée dans le petit café. À l'extérieur, jetez un œil aux statues qui entourent le Bardo, un musée décidément unique en son genre.

AUX ENVIRONS

CARTHAGE★★

À environ 17 km à l'Est du centre-ville, **Carthage**★★ domine le golfe de Tunis. Rasée par les Romains en 146 av. J.-C., puis rebâtie par Jules César, elle devint la capitale de l'Afrique romaine et la seconde ville de l'empire après Rome, avant d'être à nouveau détruite par les envahisseurs arabes à la fin du 7e s. Comme c'est le cas pour Tombouctou et Samarcande, nombre de personnes ont une image de Carthage qui correspond rarement à la réalité. Mais elle ne vous décevra pas, elle vous apparaîtra seulement sous un jour différent.

Aujourd'hui, Carthage est devenue une banlieue plaisante et élégante de Tunis, où réside la haute bourgeoisie ainsi que le Président lui-même, dont le palais jouxte les prestigieux thermes d'Antonin. Les autres sites de cette ancienne grande cité, qui devait contenir entre 200 000 et 700 000 individus, sont disséminés sur une vaste étendue. Du centre de Tunis il est très facile d'accéder à Carthage en taxi, par la route ou en train TGM. Mais il vous semblera peut-être plus pratique de participer à une excursion organisée, qui vous acheminera d'un site à l'autre. (*Tous les sites archéologiques sont ouverts du lundi au samedi de 8 h à 19 h en été et de 8 h 30 à 17 h 30 en hiver. Entrée payante : un billet combinant l'accès à l'ensemble des sites, plus avantageux, vous sera proposé.*)

Au milieu des ruines des thermes d'Antonin, vous vous prendrez au jeu de vous projeter dans l'Antiquité, adoptant le point de vue de ceux qui vivaient en ces lieux.

Les thermes d'Antonin★★

TGM : gare de Carthage-Hannibal.
Respectez l'interdiction de photographier le palais
présidentiel, et plus généralement dans sa direction,
sinon les gardes vous confisqueront votre pellicule.
Les plus beaux vestiges romains, les **thermes
d'Anthonin★★** (145-162), sont nichés au cœur
d'un parc luxuriant en bordure de la
Méditerranée. Suivez la *decumanus IV*, ancienne
voie romaine qui descend vers la mer pour arriver
sur une esplanade. Là, une maquette vous
donnera une idée de la dimension colossale des
thermes, jadis les plus grands de l'empire romain.
Étant donné la complexité des lieux, elle vous
aidera aussi à vous orienter sur le site et à
identifier plus facilement les vestiges.

Le bassin central avait la taille d'une piscine
olympique moderne ! Lorsque les fouilles
dégagèrent les latrines publiques, on crut, à la vue
du nombre de sièges, qu'il s'agissait d'un théâtre.
Quelques piliers effondrés ont été relevés pour
restituer le gigantisme de l'endroit, dont la
colonne du *frigidarium*. D'une superficie de 4 ha,
le parc archéologique abrite également une villa
romaine du 4e s., les vestiges de Dermèch I
(basilique du 4e s. à cinq vaisseaux) et une
nécropole punique.

Les villas romaines★

À environ 10 minutes de marche des thermes :
suivez les flèches.
La colline de l'Odéon offre une belle **vue★** sur la
mer et les environs. À flanc de coteau s'élèvent les
vestiges de plusieurs villas romaines, dont il ne
reste parfois que des fondations, mais des fouilles
sont encore en cours et devraient mettre au jour
certains trésors. Observez attentivement les
mosaïques à demi cachées, représentant parfois

*Le site archéologique
de Carthage.*

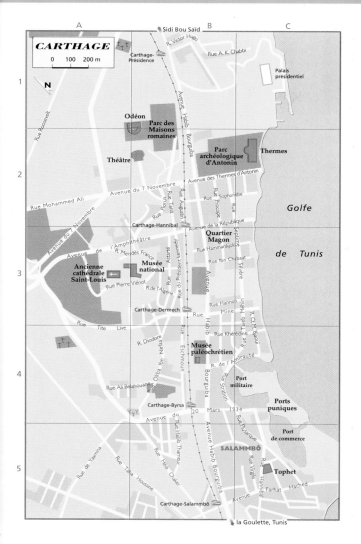

des animaux ou des scènes de chasse. Certaines découvertes sont exposées dans l'une des villas du 3ᵉ s., dite **La Volière** en raison de la mosaïque d'oiseaux qu'elle renfermait. Le site lui-même est aussi connu sous le nom de Villa de la Volière, alors qu'il s'agit d'un parc de villas.

Deux sarcophages des 3ᵉ et 4ᵉ s. av. J.-C. (musée National).

Sortez pour poursuivre vers le sommet de la colline, où l'on aperçoit les vestiges du théâtre de l'**Odéon** (3ᵉ s.). Au pied de la colline, le **théâtre d'Hadrien** (2ᵉ s.) a recouvré sa splendeur d'antan après d'importantes rénovations, et accueille chaque été le *Festival International de Carthage*, avec ses œuvres théâtrales, musicales et chorégraphiques.

Boulets de canons dans le jardin du musée National (en bas à droite).

La colline de Byrsa offre un beau panorama sur les ports puniques et la baie de Carthage.

La Colline de Byrsa

*La gare la plus proche est Carthage-Dermèch
et non Carthage-Byrsa.*

Du haut de cette colline, où les Carthaginois
firent une ultime et vaine tentative pour résister à
l'invasion romaine, le **panorama**★ sur Carthage et
les ports puniques est impressionnant. Outre le

La cathédrale de St-Louis sur la colline de Byrsa, alliance inhabituelle des styles maure et byzantin.

champ de fouilles et le jardin parsemé de stèles, de morceaux de colonnes, le principal intérêt réside dans le **Musée national**★. En dépit de son nom, ce musée installé dans un ancien couvent est principalement consacré à Carthage. La muséographie est suffisamment claire pour vous passer des services d'un guide.

La salle des Sculptures regroupe les pièces les plus intéressantes, notamment deux **sarcophages**★ (4ᵉ s. av. J.-C.) découverts dans une cave en 1902. Sur l'un d'eux est gravé un homme étendu, tandis que l'autre représente une femme, il s'agirait peut-être d'un prêtre et d'une prêtresse. À noter aussi la présence d'objets funéraires, de mosaïques provenant de villas des environs, de bijoux, de poteries, etc.

À côté du musée, l'ancienne **cathédrale St-Louis** (1890) fut érigée par les Français, en l'honneur de Saint Louis, mort à Carthage en 1279 alors qu'il tentait, en vain, de conquérir la Tunisie. La cathédrale est désormais un centre culturel (entrée payante), l'**Acropole**, où sont interprétés des concerts de musique arabe.

Les ports puniques

TGM : gare de Carthage-Byrsa.

L'extrémité sud de Carthage est le siège des **ports puniques**, construits au 4ᵉ s. av. J.-C. pour dissimuler la flotte punique. Le port militaire, au Nord, et le port de commerce, au Sud, étaient reliés à la Méditerranée par leur propre chenal. Une maquette au port militaire donne un aperçu de leur ancienne splendeur, difficile à imaginer à la seule vue de ce site laissé à l'abandon.

Traversez le pont qui relie les deux ports pour vous rendre au nouveau **Musée océanographique** *(ouvert du mardi au samedi de 14 h 30 à 17 h 30, le dimanche de 10 h à 12 h. Entrée payante.)*. L'ancien aquarium et la collection d'objets

Les villas romaines renferment de splendides mosaïques.

navals côtoient désormais des ordinateurs interactifs, qui relatent l'histoire de la région et nous apprennent tout sur la faune et la flore maritime.

Au Sud des ports, vous trouverez les vestiges du **Tophet punique**★, ou sanctuaire. Dans ce site punique religieux parmi les plus anciens du pays, où les pierres tombales jonchent l'herbe, des urnes contenant des os d'enfants ont été découverts. Ceci semble accréditer la thèse des sacrifices d'enfants, le terme « tophet » étant une référence biblique utilisée pour désigner un cimetière d'enfants. On pense cependant que ce rituel n'était pas fréquent, bien que les Romains aient suggéré le contraire. Ce lieu invite à une promenade mélancolique mais non funeste.

Le Tophet punique : une étrange atmosphère bucolique et mortifère.

LA GOULETTE

TGM : gare de La Goulette.

La Goulette est le port de Tunis, situé de l'autre côté du lac Tunis. Les visiteurs s'y rendent principalement pour embarquer sur des ferries à destination de Naples, de la Sicile, de la Sardaigne, de Gênes et Marseille, entre autres.

La première impression n'est pas très favorable. À l'instar d'autres ports du monde, La Goulette est jalonnée de zones industrielles, de grues, de pylônes, de camions, de trains et de terrains vagues. Cependant, comme les ports de Marseille ou du Pirée, il dégage une atmosphère qui lui est propre… et ses restaurants de poisson, autour de la place du 7 novembre ainsi que sur l'avenue Bourguiba et l'avenue Franklin D Roosevelt, sont très prisés. Durant les mois d'été, nombre de Tunisiens y affluent pour le déjeuner ou le dîner.

Le seul monument digne d'intérêt de la Goulette est l'immense **kasba**, malgré un état de délabrement avancé. Construite par le roi Charles V d'Espagne en 1535, elle ne tarda pas à tomber entre les mains turques en 1574, début de la domination ottomane qui dura 130 ans. On retiendra d'ailleurs que l'écrivain espagnol Cervantes, auteur de *Don Quichotte*, faisait alors partie de la garnison espagnole.

GAMMARTH

Prenez le TGM jusqu'à la gare de La Marsa, puis un taxi.

La station balnéaire de Gammarth, aujourd'hui considérée comme une banlieue de Tunis, se trouve à environ 24 km au Nord-Est du centre-ville. De prime abord, elle ne semble pas très engageante, la rue principale étant bordée d'hôtels et d'immeubles parfois encore en construction. Mais de nombreux touristes

La Goulette prise d'assaut l'été par les Tunisois.

trouvent sa situation géographique idéale, puisqu'elle leur permet de visiter la ville tout en goûtant aux plaisirs de la plage. La plupart des hôtels sont de petits établissements 4 et 5 étoiles aux prestations très complètes, si bien que les clients n'en sortent que pour prendre un taxi ou une navette vers le centre de Tunis.

Les plages de Gammarth rejoignent au Sud la petite ville de **La Marsa**, où les villas blanches supplantent les hôtels de luxe, et où la moitié de la population de Tunis vient se détendre les week-ends d'été. Profitez-en pour faire un petit tour dans le centre où se trouve la mosquée et la place Saf-Saf entourée de cafés.

SIDI BOU SAÏD★

*TGM : gare de Sidi Bou Saïd, puis 10 minutes
de marche.*
À environ 20 km au Nord-Est de Tunis, le
superbe village de **Sidi Bou Saïd★** domine la
Méditerranée du haut de sa colline. Ses ruelles
tortueuses et ses maisons d'une blancheur
immaculée ornées de volets d'un bleu vif et
de portes ouvragées fascinent les visiteurs qui
viennent en nombre. Ainsi à votre arrivée, vous
ne serez pas d'emblée frappé par la beauté du
site. Les voitures et les cars s'entassent dans
l'aire de stationnement, les rues pavées du
village étant fermées à la circulation (excepté
pour les personnes y travaillant ou y résidant).
Sur le parking même et autour, ainsi que le long
de la rue principale, d'innombrables échoppes
de souvenirs vendent un assortiment bigarré de
céramiques, d'articles en cuir, de tapis, de

*À chacun sa monture
pour découvrir
les rivages de
Gammarth.*

parfums et de peintures. Les peintures sont d'une grande qualité, car la rare beauté de Sidi Bou Saïd attire depuis longtemps les artistes. Au début du 20e s., des peintres français comme Paul Klee et Louis Moillet y ont vécu, et les maisons blanches aux formes carrées ont contribué à influencer le mouvement cubiste. Des artistes y habitent encore et exposent leurs œuvres dans certaines boutiques. Le village a également reçu la visite d'écrivains, venus principalement de France, comme Colette, Gide et Simone de Beauvoir.

Comment résister à la beauté de Sidi Bou Saïd ?

Le **Dar Ennejma Ezzahra**★★ (« la planète Vénus ») se situe près de l'aire de stationnement. Ce palais fut construit au début du 20ᵉ s. par un riche Français, le baron d'Erlanger, qui s'établit ici pour s'adonner à ses passions, la musique et l'art. Il n'est donc pas étonnant qu'il abrite désormais le **Centre des Musiques arabes et méditerranéennes** *(ouvert du mardi au dimanche de 9 h à 13 h et de 14 h à 17 h en hiver, et de 9 h à 12 h 30 puis de 15 h à 18 h 30 en été. Entrée payante.)*, qui présente une riche collection d'instruments de musique, et organise occasionnellement des concerts. Mais le palais tout en sobriété, avec dans chaque pièce son mobilier d'époque qui donne l'impression que le propriétaire s'est juste absenté, et le jardin, avec piscine hélas délaissée, valent à eux seuls le déplacement.

Autrement, à gauche en montant la rue principale (au niveau de la rue du 2 mars 1934), le **Dar el Annabi** vous permettra de découvrir enfin ce qui se cache derrière ces fameuses portes bleues, quoique pressé par l'afflux de visiteurs vous n'aurez pas forcément le temps d'apprécier les lieux. Cette demeure traditionnelle, construite au 18ᵉ s. mais reconstruite au 20ᵉ s. par le fils d'un *moufti*, recèle des tableaux historiques, des objets de famille… le tout un peu surfait et la boutique au fond de patio andalou renforce l'aspect mercantile. De la terrasse, la vue panoramique sur le village vous consolera peut-être de votre déception *(ouvert du mardi au dimanche de 9 h à 19 h 30. Entrée payante.)*.

En haut de la rue principale, vous ne manquerez pas le **café des Nattes**★, l'endroit où il faut faire une halte ne serait-ce que pour jeter un coup d'œil à l'intérieur et revivre

Siroter un thé à la menthe au café Sisi Chabaane *en regardant le golfe de Tunis. Que rêver de mieux ?*

l'atmosphère d'antan. Plus loin dans la rue Hedi Zarrouk sur votre droite, après avoir descendu quelques marches, vous trouverez le café **Sisi Chabaane**, probablement le meilleur endroit pour déguster un thé à la menthe en terrasse, tout en profitant de la vue sur la mer. Mais c'est hors des sentiers battus, poursuivant vers les hauteurs où s'élève le phare et où s'étend à côté un petit cimetière, que le véritable charme de Sidi Bou Saïd opère.

EXCURSIONS AU DÉPART DE TUNIS

LA PÉNINSULE DU CAP BON★★

Nous vous recommandons la voiture pour cette excursion d'une journée entre le Cap Bon et Tunis. Comptez 9 à 10 heures pour parcourir un circuit a/r d'environ 265 km. Les transports en commun desservent la plupart des sites mais pour accéder aux différentes curiosités, il vous faudra beaucoup marcher (comptez deux jours). Le taxi est un autre moyen de transport possible, un peu plus cher certes, mais moins fatigant et qui vous permettra de profiter pleinement de ce fascinant voyage.

Vous pourrez effectuer le périple dans le sens inverse en commençant votre excursion par Hammamet, ou le raccourcir en retournant à Tunis après Kelibia, sans passer par Nabeul ni Hammamet.

La péninsule du cap Bon.

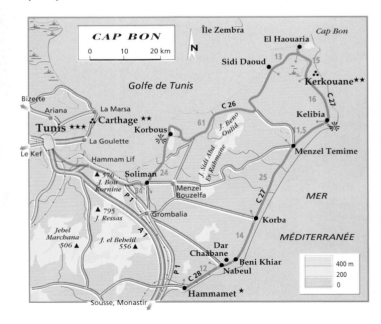

La **péninsule du Cap Bon**★★ est la pointe nord
orientale de la Tunisie qui s'enfonce dans la mer
Méditerranée. Elle était autrefois reliée par un bras
de terre à la Sicile, distante de quelque 140 km.
Avec ses vergers, ses vignobles et ses champs
plantés de tomates, poivrons rouges et autres
cultures, le paysage rappelle davantage l'Europe du
Sud que l'Afrique du Nord. Durant le protectorat
français, cette région a accueilli nombre de colons
étrangers, et l'on croise encore ici et là dans la
campagne les ruines de fermes et bâtiments au toit
rouge. Bien que l'agriculture occupe depuis très
longtemps une place importante dans cette région,

*Korbous : un village
au creux d'un vallon
qui plonge dans la
mer.*

les Français ont développé les immenses
plantations d'agrumes et ressuscité les vignobles
des Phéniciens. Le Cap Bon voit désormais défiler
les hordes de touristes étrangers, attirés par les
magnifiques plages de la côte sud-est de la
péninsule. Mais loin des stations balnéaires, vous
pourrez hésiter entre d'anciennes ruines puniques,
une forteresse byzantine, une ville d'eau romaine,
de paisibles villages et un paysage rural plein de
charme. Quant à la côte ouest, elle réserve des
vues spectaculaires sur le golfe de Tunis.

*Les grottes d'El
Haouria, un travail
d'esclave pour
extraire la pierre
qui servit aux
constructions
carthaginoises
et romaines.*

Korbous

*De Tunis, par la route GP1 prenez la direction
de Hammam Lif. À Borj Cedria, tournez à gauche
vers Soliman et poursuivez jusqu'à Korbous.*
Niché dans une étroite gorge entourée de falaises
abruptes, **Korbous** est célèbre pour ses sources
d'eaux chaude et froide, réputées soigner l'arthrite,
les rhumatismes et les affections cutanées. Les
Romains y ont construit leur premier spa, et le petit
village, caractérisé par des maisons blanches de style
mauresque, attire aussi bien les curieux venus y
passer la journée que les curistes. Dirigez-vous
ensuite vers Aïn el-Atrous, derrière le village,
où les eaux chaudes se déversent dans la mer en
dégageant des vapeurs de soufre. Profitez-en pour
prendre un bain avant d'aller vous restaurer.

El Haouaria

*Après avoir grimpé une route côtière escarpée, vous
traversez des champs luxuriants puis tournez à gauche
en direction du village El Haouaria, situé à la pointe
de la péninsule à 110 km de Tunis. Suivez les écriteaux
signalant les « Grottes Romaines », à environ 2 km de
la sortie du village.*
Les carrières romaines, qui constituent la
principale attraction d'**El Haouaria**, surplombent
la mer, en face de l'île montagneuse de Zembra
et du petit îlot Zembretta. Les grottes seraient au
nombre de cent, mais seules 19 sont accessibles

au public (*ouvert tous les jours de 8 h à 19 h en été, et de 8 h 30 à 17 h 30 en hiver. Entrée payante*). Elles furent creusées au 6ᵉ s. av. J.-C. par les Carthaginois, qui utilisèrent une main d'œuvre d'environ 30 000 esclaves noirs enchaînés (originaires du sud de l'Afrique), morts et enterrés sur place pour le grand nombre. Cette pierre calcaire orangée était très recherchée pour l'ornementation des édifices romains et byzantins, elle fut notamment utilisée pour la construction de Carthage et de l'amphithéâtre romain de El Jem. La plus vaste grotte est celle de **Ghar el Kébir**★, à l'entrée de laquelle un dromadaire a été gravé dans la roche.

Le village de El Haouaria est également réputé pour sa **fauconnerie**. De jeunes faucons pèlerins et éperviers sont capturés sur les falaises durant leur migration en mars et avril, et dressés par les villageois pour chasser la perdrix et la caille. Ils sont relâchés après le concours de chasse, qui se déroule au mois de juin, autour des grottes romaines.

Kerkouane★★

À environ 15 km de El Haouaria, sur la côte est de la péninsule.

Vous y verrez les vestiges puniques les plus impressionnants de Tunisie. **Kerkouane**★★ (*ouvert tous les jours de 8 h à 19 h en été, et de 8 h 30 à 17 h 30 en hiver. Entrée payante.*) remonte au 6ᵉ s. av. J.-C. Détruite par les Romains en 256 av. J.-C. et jamais reconstruite, cette cité ne fut découverte qu'en 1952. Au vu du complet abandon du site, comme épargné par les civilisations

Les ruines de Kerkouane surplombent la mer.

successives, les archéologues ont pu, pour la première fois, se faire une idée exacte de la vie et de l'architecture carthaginoises. Les maisons de plain-pied construites autour d'une cour centrale étaient sophistiquées, dotées pour la plupart de baignoires sabots recouvertes d'un enduit rose. La maison de Tanit présente un pavement en mosaïques, avec le symbole triangulaire de la déesse de la lune incrusté dans le seuil.

C'est à Kerkouane que l'on fabriquait la teinture pourpre extraite des coquilles de murex, tant prisée des Carthaginois. On pense que la population comptait environ 2 500 habitants, principalement des artistes et des artisans. Le musée expose de magnifiques poteries et bijoux, ainsi qu'un sarcophage au couvercle en bois sculpté, connu sous le nom de « Princesse de Kerkouane ». Situé en bordure de mer, ce site enchanteur alterne les jardins parfaitement entretenus et les herbes folles.

La forteresse byzantine de Kelibia assaillit par les Espagnols au 16e s. et plus tard par les Turcs.

Kelibia

À environ 11 km au sud de Kerkouane.

Kelibia était le principal centre de la péninsule à
l'époque antique. Traversez la ville jusqu'au port,
puis continuez sur 2 km jusqu'au sommet de la
colline. Vous tomberez sur une splendide
forteresse★ byzantine (6ᵉ s.), qui se dresse sur
le site d'une ancienne place forte carthaginoise
(*ouverte tous les jours de 8 h à 19 h en été
et de 8 h 30 à 17 h 30 en hiver. Entrée payante.*). Le
gardien et sa famille vivent sur place, et il n'est
pas rare de voir des poules au pied des pylônes
de communication de cette base militaire. Des
remparts vous aurez une **vue** panoramique sur la
mer, le port, le littoral ainsi que sur les plaines et
montagnes intérieures.

Nabeul

*À 67 km de Tunis. Possibilité de prendre un car ou
un taxi collectif au départ de Tunis, gare routière
Bab Alioua (comptez 1 h 30).*

Nabeul est la plus grande ville et le premier
centre administratif de la péninsule du Cap Bon.
À l'instar de Hammamet, située à 10 km au Sud,
c'est une station balnéaire populaire, cependant
moins à la mode. Bien qu'elle possède les mêmes
plages de sable blanc, le front de mer bordé de
grands hôtels et d'infrastructures touristiques est
moins attrayant. Distant de 1,5 km de la côte, le
centre-ville est chaud et poussiéreux.

   Certaines rues sont envahies de boutiques
d'objets artisanaux et de souvenirs. Nabeul est
surtout réputée pour sa poterie et sa céramique.
Cet artisanat remonte à l'époque romaine, et
conserve encore aujourd'hui de nombreuses
formes et couleurs inchangées depuis l'Antiquité.
Pour éviter de marchander ou vous faire une idée
des prix pratiqués, rendez-vous dans une des
boutiques pour touristes de l'ONAT ou de la
SOCOPA, où les prix sont fixes.

*Du marché aux
chameaux de Nabeul
ne reste que le nom,
désormais s'y
rassemblent les
badauds.*

   Les touristes affluent au **marché du vendredi**★ (un
jour à éviter si vous n'aimez pas la foule). Malgré son
nom de marché aux Chameaux, les seuls spécimens
présents sont destinés aux enfants souhaitant faire
un tour à dos de chameau. De 9 h à 12 h, il y
règne un chaos indescriptible qui s'apaise l'après-
midi. Sachez que les prix sont élevés et que les
commerçants, habitués à traiter avec des clients aisés,
sont peu enclins à marchander.

   Au Sud-Ouest du centre-ville, le site de **Neapolis**
comprend les vestiges d'une villa romaine.
Plusieurs amphores mises au jour par les fouilles
révèlent qu'on y produisait une sauce de poisson
appelée *garum*, à base d'entrailles de thon salées.
Il n'y a pas grand chose à voir, si ce n'est les traces
d'un palais et les fosses de l'ancienne installation
de traitement du poisson. Les sols étaient pavés de

mosaïques désormais exposées dans le petit **musée archéologique** de Nabeul, en face de la gare, sur l'avenue Habib Bourguiba (*ouvert tous les jours de 8 h à 19 h en été et de 8 h 30 à 17 h 30 en hiver. Entrée payante.*). Outre les quelques mosaïques prélevées sur le site de Neapolis, le musée regroupe les vestiges archéologiques du Cap Bon ainsi que des poteries et sculptures carthaginoises.

Hammamet★

À 60 km de Tunis. Si vous n'avez pas de voiture, prenez le car pour Nabeul où vous trouverez facilement un taxi pour vous conduire à Hammamet (à environ 15 km). Autre solution rapide et bon marché : le taxi collectif au départ de Tunis, gare routière Bab Alioua (comptez 1 h).

La kasba d'Hammamet garde dorénavant un mouillage de plaisance et une plage plantée de parasols.

Un poisson pour porter chance.

Hammamet★ s'enorgueillit du titre de plus belle station balnéaire de Tunisie, avec ses superbes plages de sable bordant la ville et ses collines en arrière-plan. La plage située au Sud-Ouest de la médina est la plus abritée. Bien qu'elle attire chaque année plus d'un demi million de touristes en quête de soleil, son développement a été maîtrisé, de manière à préserver l'environnement. Les hôtels sont bâtis au milieu des palmiers, sans pouvoir dépasser la cime des arbres, et possèdent

Animations sportives sur la plage d'Hammamet.

souvent de superbes jardins descendant vers
la mer. Naguère tranquille, ce petit village de
pêcheurs vit désormais au rythme des restaurants,
des boutiques et des discothèques, mais
Hammamet a su garder un charme intemporel.

La petite **médina** a été érigée sur un
promontoire au 9ᵉ s., pour prendre sa forme
actuelle sous la domination de la dynastie hafside
entre 1463 et 1474. Si son souk est envahi de
boutiques de souvenirs, le quartier résidentiel
est un endroit magnifiquement préservé où il fait
bon flâner. Les maisons blanches présentent des
portes en céramique colorée, ornées du symbole
du poisson ou de la main de Fatima censés porter

Villas sur le front de mer d'Hammamet.

Villa Sebastian : un havre de paix pour millionnaire.

chance. La Grande Mosquée est fermée à la visite, mais les bains turcs sont ouverts aux hommes le matin et aux femmes l'après-midi.

Située dans un recoin de la médina, d'où elle domine la mer, la **kasba**★ (ou fort) date du 15ᵉ s. Vous accéderez à la cour par une énorme rampe et grimperez un escalier raide pour arriver aux remparts, d'où vous jouirez d'un magnifique **panorama** sur la mer, les dômes blancs et les terrasses de la médina (*ouverte tous les jours de 8 h 30 à 20 h 30 en été, et de 8 h 30 à 18 h en hiver. Entrée payante.*).

Dans la médina, suivez les panneaux indiquant la direction du petit **musée Dar Hammamet** (*ouvert tous les jours de 8 h 30 à 19 h 30. Entrée payante.*) qui recèle une intéressante collection de costumes traditionnels et de trousseaux de jeunes mariées, comprenant notamment de splendides bijoux et broderies.

Les portes magnifiquement ouvragées laissent présager de se qui se cache derrière.

Sur l'avenue des Nations unies, à environ 3 km au Nord-Ouest du centre-ville (*nombre de taxis font la navette*), la **villa Sebastian**★ héberge le **Centre culturel international** (*ouvert tous les jours de 8 h à 18 h en été, et de 9 h à 15 h en hiver. Entrée gratuite*). Bâtie pour un millionnaire roumain, George Sebastian, dans les années 1920, cette somptueuse villa romantique a autrefois accueilli des hôtes de marque comme Winston Churchill et l'artiste Paul Klee. Désormais propriété de l'État, elle reçoit un festival de musique et de théâtre aux mois de juillet et août, et des expositions ainsi que conférences s'y tiennent toute l'année. Vous serez séduit à la fois par la villa et ses vastes **jardins botaniques**★.

Pupput est un petit site archéologique romain à environ 6 km au Sud-Ouest de la ville, sur la route de Sousse (*ouvert tous les jours, de 8 h à 13 h et de 15 h à 19 h en été, et de 8 h 30 à 17 h 30 en hiver. Entrée payante.*). Les ruines de cet ancien port remontent aux 2e et 4e s. Il y a peu à voir,

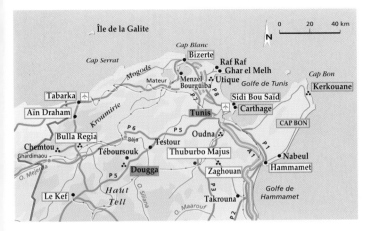

Le Nord de la Tunisie.

excepté les mosaïques ornant les tombes chrétiennes et recouvrant les sols des villas et thermes romains.

Si vous vous rendez à Hammamet en septembre, arrêtez-vous au festival vinicole annuel de **Grombalia** en revenant vers Tunis.

OUDNA

Situé à environ 20 km au Sud de Tunis, prenez la route C36 menant à Zaghouan.

Le site romain d'**Oudna**, anciennement Uthina (*ouvert tous les jours de 8 h à 18 h en été, et de 8 h à 17 h en hiver. Entrée payante.*), ne figure pas parmi les plus grands sites romains du pays, et est encore à l'état de fouilles. Mais au 2ᵉ s., Oudna était une ville florissante, et les archéologues ont fait quelques découvertes intéressantes. Plusieurs mosaïques sont exposées au musée du Bardo à Tunis, et l'on peut admirer sur place les vestiges d'un amphithéâtre, de thermes publiques, de citernes et de quelque 20 villas.

ZAGHOUAN

Le Temple des Eaux
à Zaghouan sur fond
de montagnes.

À 20 km au Sud d'Oudna.

La plupart des touristes et circuits organisés font
l'impasse sur Oudna, pour rallier directement
Zaghouan★, une petite ville tranquille située à
flanc de colline. Il vous suffira de suivre la
signalisation depuis le centre-ville pour accéder
au **temple des Eaux**★, à la fois simple et attrayant,
érigé en 130 sous le règne de l'empereur Hadrien.
L'arrière du temple forme un hémicycle, composé
de douze niches aujourd'hui vides, et qui
abritaient jadis les statues des nymphes. Ce
monument doit son nom aux sources, dont les
eaux étaient acheminées par un aqueduc sinueux
sur environ 70 km, jusqu'à Carthage. Certaines
parties de l'aqueduc, véritable prouesse technique,
sont encore visibles le long de la route de Tunis.

THUBURBO MAJUS★

À environ 25 km à l'Ouest de Zaghouan et à 60 km de la capitale.

Thuburbo Majus★ (*ouvert de 8 h à 19 h l'été et de 8 h à 17 h 30 en hiver. Entrée payante.*) est l'un des principaux sites romains de la région de Tunis. Niché au fond d'une vallée recouverte de champs de blés, il ne subjugue pas le visiteur du premier coup d'œil, contrairement à d'autres sites archéologiques, mais il exerce néanmoins un attrait certain.

Ce site romain a probablement été d'abord occupé par les Berbères au 5e s. av. J.-C., si l'on en

Les ruines du capitole se distinguent à Thuburbo Majus.

juge par l'origine supposée berbère du nom
« Thuburbo ». Il y eut ensuite les Phéniciens, puis les
Romains, en 27 av. J.-C. L'histoire de cette colonie est
incertaine, mais on sait qu'elle a prospéré sous les
Romains, en particulier sous le règne d'Hadrien,
au 2e s., forte d'une population de 10 000 habitants,
avant que les Vandales n'envahissent la Tunisie
en 407, sonnant ainsi son déclin. Totalement
abandonnée par la suite, elle ne fut découverte
qu'en 1857, et fait encore l'objet de fouilles.

Les plus belles ruines sont celles du **capitole**★,
qui se trouve immédiatement sur votre gauche
après l'aire de stationnement. Quatre de ses hautes

Pourquoi ne pas prendre place dans le théâtre de Dougga lors du Festival d'été ?

Quand les vieilles pierres nous parlent…

colonnes corinthiennes sont encore debout, et il ne fait aucun doute qu'à l'apogée de sa gloire, il comptait parmi les plus grands temples d'Afrique. Il abritait une statue de Jupiter de 7 m de haut, dont les vestiges, notamment la tête, sont désormais exposés au musée du Bardo à Tunis. Les autres curiosités sont le **forum** (juste devant le capitole), plus vaste que celui de Dougga, plusieurs temples en ruines, quelques villas dont les mosaïques sont présentées au musée du Bardo, et les immenses **thermes**. Les thermes d'hiver et d'été, séparés, sont situés à l'autre bout du site, où vous trouverez également la **palestre des Petronii**★. Les Romains y pratiquaient la gymnastique, la boxe et d'autres sports avant de se relaxer dans les thermes d'été attenants.

DOUGGA★★★

À 106 km au Sud-Ouest de Tunis.
Nombreux sont ceux qui considèrent **Dougga**★★★ comme le site romain le plus remarquable d'Afrique du Nord. Il est certain qu'il est le plus grand et le mieux préservé de Tunisie. En outre, il bénéficie d'un emplacement spectaculaire, en haut d'une falaise bordant les montagnes de Tebersouk. Vous aurez besoin d'au moins deux heures pour visiter l'ensemble, et d'une journée entière si vous êtes passionné d'archéologie. En été, le soleil frappe très fort à la mi-journée, et il est donc conseillé d'arriver tôt pour éviter la chaleur et la foule (*ouvert tous les jours de 8 h à 19 h et de 8 h 30 à 17 h 30 en hiver. Entrée payante.*).

Fondée au 4ᵉ s. av. J.-C., Dougga est l'une des plus anciennes villes intérieures du pays. Au 2ᵉ s. av. J.-C., elle était gouvernée par Massinissa, le roi numide qui aida les Romains à vaincre Carthage, ce qui lui permit de garder son indépendance jusqu'au 2ᵉ s. de notre ère, où elle devint une colonie romaine. Au pied du site, le **mausolée libyco-punique**★★, haut et pointu, date de l'époque carthaginoise, tandis que les autres vestiges remontent aux Romains. Après la

*Le capitole
de Dougga : un
charme irrésistible.*

chute de Rome, Dougga connut un déclin, mais continua à être peuplée jusque dans les années 1950, lorsqu'il fut décidé de reloger les habitants dans une nouvelle ville voisine, afin de préserver les ruines.

Le site est gigantesque (25 ha). Après avoir vu les principales curiosités, amusez-vous à explorer le reste du site et laissez votre imagination vagabonder. Les ruines sont remarquablement préservées et on a peine à croire que seul un quart du site ait été exhumé. On comprend aisément son inscription au Patrimoine mondial de l'UNESCO en 1997. Le plus surprenant est sans doute le nombre de temples (21 au total). Comparé au nombre d'habitants, qui s'élevait seulement à 5 000, ce chiffre laisse à penser que la proportion de citoyens aisés était très importante.

*Ce n'est pas le
temple de Panurge
mais de Junon
Caelestis !*

Près de l'entrée se trouve le **théâtre romain★★★**, taillé dans la pente naturelle de la colline. D'une capacité de 3 500 personnes, il est

resté en si bon état que chaque été, des troupes de théâtre y interprètent des pièces classiques. Au-dessus du théâtre, grimpez jusqu'au **temple de Saturne** construit sur un ancien sanctuaire carthaginois dédié au dieu du soleil Baal. Vous pourrez admirer le merveilleux panorama sur les oliveraies et les champs de blé environnants.

Une autre voie part du théâtre et passe devant le **temple de Mercure** avant d'atteindre la **place de la Rose des Vents**, baptisée ainsi en raison de la rose des vents gravée sur son dallage et citant les 12 vents romains. Non loin de là se dresse le monument phare de Dougga, le **capitole**, construit en 166. Il possède six colonnes corinthiennes et trois niches, à l'intérieur desquelles étaient placées les statues des divinités Junon, Jupiter et Minerve, à qui il est dédié.

En vous éloignant du capitole, dirigez-vous vers le **forum**, puis vers le Nord en direction du ravissant petit **temple de Junon Caelestis** (3ᵉ s.). Outre la vue, ce monument en forme de croissant présente la particularité de posséder un portique semi-circulaire à l'intérieur de son mur nord, un élément architectural rarement utilisé par les Romains en Tunisie. Ne manquez pas non plus la visite de la **maison du Trifolium**, qui aurait servi de maison de passe, et les **thermes des Cyclopes**, dont la douzaine de latrines était disposée en forme de fer à cheval.

UTIQUE

À 37 km au Nord de Tunis sur la route reliant à Bizerte. En comparaison avec les principaux sites au Sud de Tunis, celui-ci a été relativement négligé mais l'ancienne cité d'**Utique** ne manque pas d'intérêt (*ouvert de 8 h à 19 h en été, et de 8 h 30 à 17 h 30 en hiver. Entrée payante.*).

Utique a probablement été fondée par les Phéniciens en 1101 av. J.-C., soit environ 300 ans avant Carthage. Cette date est mentionnée par Pline l'Ancien, mais aucun vestige archéologique antérieur au 8ᵉ s. av. J.-C. n'a été retrouvé. Quelle que soit la date exacte de sa création, cette cité devait son importance à son port, ce que les visiteurs actuels ont du mal à imaginer, vu les 12 km qui séparent aujourd'hui le site de la côte. Après la fondation de Carthage, Utique passa sous sa domination, ce qui ne l'empêcha pas de servir de base arrière aux Romains, à leur arrivée, puis d'obtenir son statut de ville libre après le triomphe de Rome. La fortune lui a souri jusqu'à ce que son ensablement la prive d'un accès à la mer, bien que les raisons de son déclin et de son abandon ne soient pas entièrement connues. Les fouilles se poursuivent sur le site, qui n'a donc pas fini de livrer tous ses secrets.

Les plus beaux vestiges sont les thermes et villas romains ainsi que le cimetière punique, dont les tombes datent du 7e au 4e s. av. J.-C. Certaines villas ont conservé leurs mosaïques, ainsi qu'en témoigne l'immense dallage de la maison de la Cascade. Cette dernière possède deux cours, chacune avec une fontaine centrale, et tient son nom de la fontaine de la cour nord, dont l'eau s'échappe en cascade. Certaines mosaïques et d'autres objets ont été transportés au **musée** *(rebroussez chemin sur 1 km, en direction de la route Tunis-Bizerte. Mêmes heures d'ouverture et billet combiné avec celui de la visite de la cité).*

BIZERTE★

À 65 km de la capitale. Des cars et taxis collectifs partent de Tunis, gare routière de Bab Saadoun (comptez 1 h). De toutes les excursions d'une journée possibles au Nord de Tunis, celle pour **Bizerte**★ présente le plus grand intérêt. Allez-y de préférence les mardi et samedi, jours de marché.

Bizerte a été fondée par les Phéniciens, qui ont creusé un canal entre le lac Bizerte et la Méditerranée, afin de faire du lac un port abrité. La partie de la ville la plus attrayante est le minuscule **vieux port**★, avec ses bateaux de pêche, ses maisons blanches, ses cafés et, en

arrière-plan, l'impressionnante **kasba**★
et la **forteresse Sidi Henni**, plus modeste.

Vous ne pouvez pas manquer la kasba qui date
principalement du 17ᵉ s., même si l'entrée est
difficile à trouver. Sur le front de mer, prenez
la rue de Kasba qui longe le rempart ouest et
guettez la petite porte, conçue pour protéger
la forteresse des attaques ennemies. Mais les
remparts, hauts de 10 m à certains endroits
et dont l'épaisseur peut atteindre 11 m,
constituaient la principale défense. La **mosquée**

de la kasba se dresse sur une petite place, immédiatement après la porte. Également construite au 17ᵉ s., elle est extrêmement photogénique, avec son minaret, ses céramiques et son arc décoré. Après avoir parcouru le dédales de ruelles qui semble avoir été épargné par le monde moderne, ressortez par l'unique entrée.

Tournez à droite afin de rejoindre le **fort d'Espagne** situé derrière l'ancien quartier andalou de la ville, à l'Ouest de la ravissante **mosquée des Andalous**. En dépit de son nom, cette immense forteresse, qui domine deux cimetières à flanc de colline, a été bâtie par les Turcs au 16ᵉ s. Il n'y a pas grand chose à voir à l'intérieur, si ce n'est un théâtre, utilisé pour des concerts. Mais la vue que l'on a lorsqu'on s'en approche vaut bien le détour, tout comme celle que dispense le fort.

Bateaux de pêche colorés amarrés dans le port de Bizerte.

Revenant vers l'entrée de la kasba, tournez à droite juste avant dans la rue des Armuriers. Celle-ci conduit à la **médina**, qui n'est pas dénuée d'intérêt, même si en taille et en nombre de souks on ne peut la comparer à celle de Tunis. En poursuivant la rue des Armuriers, vous tomberez sur la **Grande Mosquée** de Bizerte (1652). Les non-musulmans n'ont pas le droit d'y pénétrer, mais peuvent admirer son imposant minaret octogonal, avec son auvent et ses céramiques décoratives. Un peu plus loin dans la rue des Armuriers, sur votre droite poussez jusqu'au **souk des forgerons** bruyant et coloré. De retour dans la rue des Armuriers, tournez à gauche vers la grande **place Siahedine Bouchoucha**, qui abrite la halle aux poissons et la **mosquée du Rebaa**, ainsi que les marchés du mardi et du samedi.

En contournant le vieux port par le côté sud, vous arriverez au **fort Sidi Henni** (17ᵉ s.), contemporain de la kasba, destiné à garder l'entrée du port. Il abrite désormais le **musée de la Mer** (*ouvert de 9 h à 12 h 30 et de 14 h 30 à 20 h, fermé le lundi et à 18 h 00 en hiver. Entrée payante.*). Outre son aquarium, ce petit musée bénéficie d'un café avec terrasse ouvrant sur la mer.

VIVRE TUNIS

Libre cours

Tunis mêle à la fois Europe et Afrique, passé et présent. Souks et cybercafés, ruines historiques et hôtels haut de gamme, appel à la prière du *muezzin* dans la médina et musique à plein tube dans les boutiques de la ville moderne : voilà un échantillon de cette cohabitation culturelle dont il dépendra de vous d'en apprécier toutes les nuances. Car ici, beaucoup de choses se jouent sur la connivence. Il n'est que d'aller vous promener dans les souks pour vous en apercevoir.

Certains marchands ne parlent que l'arabe, tandis que d'autres commerçants amusent les touristes en jonglant avec plusieurs langues. Vous cherchez un terrain d'entente, vous trouvez une complicité de bon aloi, mais il suffit de s'enfoncer ensuite dans les ruelles résidentielles de la médina pour que s'évanouisse cette familiarité factice. Vous devez faire face à une réalité dont on vous aura tenu à l'écart par complaisance.

C'est dans le centre-ville moderne que vous prendrez davantage part au quotidien des Tunisois. Bien sûr il y a l'avenue Bourguiba, où

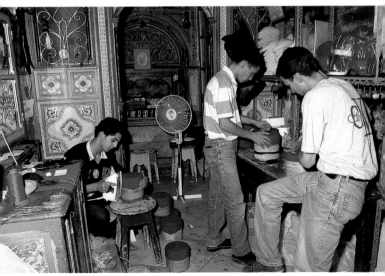

Coup de chapeau aux artisans du souk des chéchias.

l'« Association Sauvegarde de la Médina » s'attache à la rénovation des façades des maisons coloniales, longtemps délaissées au profit de constructions destinées à marquer le renouveau d'un pays tourné vers le visiteur étranger. Là vous goûterez à la nonchalance d'une promenade contrastant avec l'animation des rues perpendiculaires. Celles-ci valent la peine d'être parcourues tôt le matin ou le soir, quand la vie y bat son plein. Entre des boutiques de mode, portes ouvertes, où entrent des essaims de jeunes filles emportées dans une bruyante conversation, des vieux cafés, portes closes, où se regroupent les hommes pour discuter entre eux, des petites épiceries d'où sortent des femmes chargées de cabas, des métros aériens qui carillonnent pour que les passants dégagent la voie, les bousculades pour monter dans les bus bondés aux heures de pointe, le square Thameur où des étudiants révisent à l'ombre des palmiers (les jeunes amoureux se retrouvent plus volontiers au parc du Belvédère, à l'abri des préjugés)… Vous en ressortirez plus étourdi qu'ébloui ! Vous n'aurez rien vu d'extraordinaire mais vous aurez eu une approche de la ville autre que celle des dépliants touristiques.

Tunis, comme toute capitale, bouge mais pour vous reposer (car après tout vous êtes en vacances), il n'y a qu'un train à prendre pour rejoindre le bord de mer plus paisible. Un quart d'heure après avoir quitté la place de Barcelone fourmillante, vous sirotez un thé à La Goulette en contemplant la ligne d'horizon ou bien vous allez regarder les pêcheurs tirer leur petites embarcations colorées sur la plage en songeant que peut-être vous mangerez un de leur poisson au restaurant du coin. Envie de belles plages ? Poussez un peu plus loin vers La Marsa. Envie de vieilles pierres ? Passez la journée à Carthage. Envie d'un havre de paix ? Arrêtez-vous à Sidi Bou Saïd. De plus, à une heure de Tunis vous pourrez découvrir de charmantes petites villes, telles Nabeul ou Bizerte, un peu moins perméables au tourisme de masse. Tunis compte sur ses environs (Hammamet en point de mire), et a davantage misé sur les visiteurs en voyage organisé. Mais ceux qui viennent en individuel auront le plaisir de la découverte, des rencontres, car ils trouveront toujours quelqu'un pour les orienter dans leurs pérégrinations, et qui sait les accompagner un temps.

CLIMAT

Tunis et le Nord-Est de la Tunisie bénéficient d'un climat méditerranéen, caractérisé par des étés secs et chauds et des hivers doux et pluvieux. Les températures moyennes des mois d'été avoisinent les 25 °C à Tunis, et peuvent atteindre 30 °C les jours les plus torrides. Les brises marines rafraîchissent l'atmosphère des stations balnéaires côtières, tandis que les villes intérieures sont souvent étouffantes et poussiéreuses. En décembre et janvier, durant les mois les plus humides, les températures oscillent entre 6 et 11 °C. Le printemps est tempéré, avec une température moyenne de 16 °C, bien que comme en automne, Tunis connaisse en moyenne sept jours de pluie par mois. La meilleure période pour s'y rendre est la fin du printemps (mai-juin) et l'automne (septembre-octobre), lorsque les températures sont les plus douces.

PRINCIPALES MANIFESTATIONS

La plupart des fêtes tunisiennes ont lieu l'été. Bien que la vocation des grandes manifestations soit de plus en plus touristique, de nombreux petits festivals locaux, souvent de nature religieuse, se déroulent dans les villages. Vérifiez sur place si des manifestations sont organisées durant votre séjour ou consultez le site web de l'Office du tourisme tunisien (*voir p. 118*).

20 mars : la *Fête de l'Indépendance tunisienne* est marquée par de nombreux défilés, dans tout le pays.

Avril : le *Festival des Orangers* de Nabeul célèbre la floraison des

Farniente sur la plage de Gammarth…

orangers du Cap Bon et s'accompagne de diverses manifestations culturelles.

Mai/juin : des faucons dressés chassent la caille et la perdrix à l'occasion du *Festival des Faucons* d'El Haouaria au Cap Bon.

Juillet/août : le principal événement culturel du pays est le *Festival International de Carthage*, durant lequel les œuvres théâtrales, musicales, chorégraphiques et cinématographiques sont présentées dans un théâtre romain restauré. Les villes d'Hammamet et de Bizerte proposent également un *Festival International* pluridisciplinaire. Le *Festival de Théâtre classique de Dougga*, qui se tient dans l'ancien amphithéâtre romain, attire des troupes en tournée internationale, parmi lesquelles la Comédie-Française.

Fin août/Septembre : Grombalia organise un *Festival de la Vigne*. Cette manifestation est surtout l'occasion d'admirer des expositions sur la tradition vinicole tunisienne.

Octobre/novembre : les *Journées Cinématographiques de Carthage*. Ce festival (années paires) présente des films arabes et africains projetés dans des cinémas aux quatre coins de Tunis. Il alterne avec les *Journées Théâtrales de Carthage* (années impaires) destinées à promouvoir le théâtre arabe et africain grâce à des représentations et des rencontres.

Fêtes musulmanes : les dates des jours fériés musulmans sont dictées par le calendrier islamique et varient chaque année. On citera principalement deux grandes fêtes religieuses : l'*Aïd es Seghir* marque la fin du Ramadan, le mois du jeûne. Bien qu'il s'agisse d'une célébration essentiellement familiale, les gens flânent dans les rues. Durant l'*Aïd es Kebir*, les Tunisiens égorgent un mouton en mémoire du sacrifice d'Abraham.

HÉBERGEMENT

Lorsque l'on cherche un lieu de résidence dans une ville tunisienne, il faut déjà savoir que les stations balnéaires sont souvent divisées en deux zones. En Tunisie, le développement touristique s'est traduit par la transformation de certains quartiers urbains en « **zones touristiques** ». Ces quartiers autonomes abritent hôtels, restaurants et boutiques, pour la grande satisfaction des touristes venus essentiellement profiter du soleil et qui ne souhaitent pas étendre leur séjour à la découverte culturelle. Ces lieux peuvent être situés à un ou plusieurs kilomètres du centre-ville, aussi les visiteurs qui préfèrent la flânerie dans les médinas et les kasbas aux plaisirs de la plage devront se renseigner avant de faire leur choix.

C'est dans les *zones touristiques* que l'on trouvera les meilleurs hôtels, des établissements 4 et 5 * confortables, généralement. La Tunisie accorde une grande place à son industrie touristique, et l'hôtel de moyenne catégorie offre des prestations largement supérieures à celles auxquelles on pourrait s'attendre dans un pays d'Afrique du Nord. Les tarifs sont également avantageux, surtout en dehors des mois d'été, et peuvent donc être à la portée de toutes les bourses. Les hôtels à **Tunis** sont généralement moins chers (de plus les prix ne varient pas selon la saison) mais plus rudimentaires et offrent une plus grande proximité avec la population locale. Néanmoins le centre-ville compte plusieurs petits hôtels chics et chers, accueillant les hommes d'affaires et les touristes aisés pour un court séjour.

La plupart des visiteurs séjournent dans la station balnéaire de **Gammarth**, qui est l'équivalent de la *zone touristique* de la capitale. Ce quartier essentiellement moderne est nullement pittoresque mais offre l'avantage d'être proche de Tunis, de La Marsa et de Sidi Bou Saïd. Ainsi, si vous êtes séduit par la plage, et quelques incursions dans le centre-ville, l'endroit est tout indiqué.

Comme la plupart des visiteurs réservent leur hébergement avant le départ, seuls ou par l'intermédiaire d'une agence de voyages, les bureaux de réservation sur place ne sont pas monnaie courante. En cas de besoin, adressez-vous à l'Office de tourisme de l'aéroport, ou aux comptoirs des différentes agences de voyages qui peuvent se charger de vos réservations. Le principal **Office de**

…ou au bord de la piscine du luxueux hôtel Corinthia Khamsa !

tourisme gouvernemental (ONTT) de Tunis n'offre pas ce service.

Les adeptes des auberges de jeunesse peuvent contacter l'**Association tunisienne des auberges de jeunesse**, 10 rue Ali Bach Hamba (© (01) 353 277, fax (01) 352 172). La principale auberge de jeunesse jouit d'un emplacement idéal à Tunis, à l'intérieur de la médina.

Les tarifs hôteliers comprennent le prix d'une chambre, avec généralement le petit déjeuner sous forme de buffet. Certains hôtels proposent la demi-pension ou la pension complète, mais les prix affichés en haute saison comprennent uniquement la chambre et le petit déjeuner, sauf mention contraire. Les hôtels se divisent en trois catégories, selon les prix pratiqués :

Très cher : 150 D et plus
Modéré : entre 150 D et 50 D
Bon marché : moins de 50 D

Quelques adresses

Tunis

Très cher
Le centre-ville abrite quelques hôtels de luxe comme le **El Hana International** (*49, av. Habib Bourguiba,* © (01) 331 144, fax (01) 349 071), aux prestations convenables, sans mériter tout à fait ses 5*. D'autres établissements sont légèrement plus excentrés, comme l'hôtel **Hilton**, admirablement situé

dans le parc du Belvédère (*av. de la Ligue Arabe,* © (01) 782 100, fax (01) 782 208) ; l'**Abou Nawas Tunis** (*Parc Kennedy, av. Mohammed V,* © (01) 350 355, fax (01) 352 882) de la chaîne hôtelière haut de gamme du même nom ; l'**Abou Nawas El Mechtel** (*3, av. Ouled Haffouz,* © (01) 783 200, fax (01) 784 758), dans le quartier du Belvédère ; et enfin l'**Oriental Palace** (*29, av. Jean Jaurès,* © (01) 348 846, fax (01) 350 327), dont le décor oriental se marie avec des salles de conférence ultramodernes. L'hôtel 5* **La Maison Blanche** (*45, av. Mohammed V,* © (01) 849 849, fax (01) 793 842) est quant à lui membre de la chaîne Best Western.

Modéré
L'**Hôtel Tej** (*14, rue du Lieutenant Aziz Tej,* © (01) 342 629, fax (01) 342 649) est un établissement 2* modeste mais offre l'avantage d'être situé à proximité de l'avenue Habib Bourguiba. Rénové en 1994, l'**Hôtel Carlton** (*31, av. Habib Bourguiba,* © (01) 330 644, fax (01) 338 168) est un choix judicieux dans sa gamme de prix. Tout aussi plaisant, **Le Belvédère** (*10, av. des États-Unis,* © (01) 783 133, fax (01) 782 214), est néanmoins légèrement plus excentré, proche du parc du Belvédère, tout comme l'**Ambassadeurs** (*75, av. Taieb Mhiri,* © (01) 846 042, fax (01) 780 042), un hôtel 3*, et le **Diplomat** (*44, av. Hédi Chaker,* © (01) 785 233, fax (01) 781 694), un 4*.

Bon marché

L'un des meilleurs établissements de la catégorie est la **Maison Dorée** (*6 bis, rue de Hollande*, © (01) 240 631, fax (01) 332 401). Construit en 1906, l'hôtel reste très convenable bien que nécessitant peut-être une légère rénovation. Autre vétéran de l'hôtellerie tunisoise, l'**Hôtel Majestic** (*36, av. de Paris*, © (01) 332 848, fax (01) 336 908) est un établissement de caractère, bénéficiant d'un emplacement central. Dans ces deux hôtels, demandez une chambre sur cour sous peine de vous exposer au bruit du métro outre celui de la rue !

Gammarth
Très cher

Le **Corinthia Khamsa Hôtel** (*les Côtes de Carthage*, © (01) 911 100, fax (01) 910 041) est un superbe hôtel 5* de bord de mer, doté de quatre restaurants (*voir « El Melia » ci-dessous*), d'une piscine, d'un centre de fitness et d'un vaste éventail d'installations pour les sports nautiques. **Le Palace** (*Complexe Cap Gammarth*, © (01) 912 000, fax (01) 911 971) héberge un casino destiné à distraire sa clientèle huppée. Avec ses 161 chambres et neuf suites de luxe, **La Résidence** (*Route de Raoued, les Côtes de Carthage*, © (01) 910 101, fax (01) 910 144), fait partie du groupe hôtelier Leading Hotels of the World. L'hôtel 5* **Abou Nawas Gammarth** (*av. Taïeb Méhiri*, © (01) 741 444, fax (01) 740 400), appartient quant à lui à la chaîne Abou Nawas, et possède 4 restaurants, 2 courts de tennis éclairés, 2 piscines.

Modéré

Gammarth compte quelques hôtels plus modestes. Le mieux noté est l'**Hôtel Mégara** (*av. Taïeb Méhiri*, © (01) 740 366, fax (01) 740 916), de style colonial des années 1920, situé non loin de La Marsa. Également proche de La Marsa, l'**Hôtel Cap Carthage** (*Route Touristique Raoued*, © (01) 740 320, fax (01) 911 980) est un établissement 3* offrant plus de 40 courts de tennis !

Sidi Bou Saïd
Très cher

L'**Hôtel Sidi Bou Saïd** (*Rue de Sidi Drif*, © (01) 740 411, fax (01) 745 129) est un établissement 4* de 34 chambres idéalement situé, légèrement à l'écart du village et dominant la baie. Avec ses 250 chambres et seulement 3*, l'**Hôtel Amilcar** (*Plage Amilcar*, © (01) 740 788, fax (01) 743 139) est néanmoins plus cher que l'Hôtel Sidi Bou Saïd en raison de sa situation en bord de plage, de ses 4 restaurants, de sa piscine et autres installations.

Modéré

Installé dans un édifice séculaire, le **Dar Saïd** (*Rue Toumi*, © (01) 740 591) propose 24 superbes chambres toutes décorées différemment.

Bon marché

Niché au cœur de ce magnifique village, l'**Hôtel Sidi Bou Farès** (*15, rue Sidi Bou Farès,* © (01) 740 091) est un charmant hôtel familial de 8 chambres, agrémenté d'un patio ombragé.

Carthage
Très cher

Au nombre des rares établissements de Carthage, l'**Hôtel Elyssa Didon** (*Rue Mendès France,* © (01) 733 433, fax (01) 732 599), situé sur le flanc de la colline de Byrsa, est incontestablement le meilleur.

Modéré

L'**Hôtel Résidence Carthage** (*16, rue Hannibal,* © (01) 731 072)

est un modeste établissement de 8 chambres, idéalement situé pour les touristes souhaitant visiter les différents sites de Carthage, et à seulement dix minutes de la plage.

PLAISIRS DE LA TABLE

La cuisine tunisienne est pleine de surprises, tout comme le pays lui-même. Ceux qui aiment agrémenter leur repas d'un verre de vin seront heureux d'apprendre qu'ils peuvent en consommer dans la plupart des hôtels pour touristes et restaurants gastronomiques. Ce pays musulman a d'ailleurs ses propres vignobles, et certains vins locaux sont fort acceptables. La nourriture mêle les influences

Quelques olives à grignoter entre deux emplettes au souk.

culinaires d'Afrique du Nord, du Moyen-Orient et de la France, avec des variantes et spécialités tunisiennes. À noter le goût prononcé des Tunisiens pour les mets très épicés. Les visiteurs audacieux désireux de goûter les plats locaux ne le regretteront pas. Pour ceux qui préfèrent rester en terrain connu, les plats occidentaux figurent sur nombre de cartes.

Entrées

La plupart des restaurants offrent gracieusement un assortiment de deux ou trois hors-d'œuvre, agrémentés généralement d'olives, de pain, de fromage ou de thon, et presque toujours d'*harissa*. Cette sauce rouge, à base de tomates, oignons, ail et piments rouges écrasés, trône sur toutes les tables tunisiennes. Délicieuse, elle peut être très relevée, et c'est la raison pour laquelle les restaurants pour touristes proposent une version édulcorée à leurs clients. Quoi qu'il en soit, il vaut mieux la goûter d'abord pour tester son piquant.

La *méchouïa* est un mélange de légumes grillés, souvent garni de thon, d'œufs durs et d'olives, le tout servi froid. La *salade tunisienne* ressemble à la salade niçoise (tomates, oignons, thon, œuf) et la *chorba* est un potage épais et relevé. L'entrée tunisienne par excellence est le *brik*, une pâte très fine généralement fourrée de légumes, de thon, mais il peut parfois être

Invitez-vous à la table des spécialités !

garni de viande (bœuf ou d'agneau haché), d'un œuf sur le plat, le tout assaisonné de cumin ou de coriandre.

Plats principaux

Répandu dans toute l'Afrique du Nord, le *couscous* est le plat tunisien le plus connu. La semoule de blé très fine s'accompagne de légumes, de viande (agneau généralement) ou de poisson. Chaque recette varie légèrement, mais constitue un mets de base à la fois savoureux et copieux. Le *tajine* tunisien, préparation à base d'œufs, semblable à une quiche ou une omelette, n'a rien à voir avec le ragoût marocain du même nom.

Le *méchoui* est également un plat épicé se composant de viande grillée, le plus souvent de l'agneau, garnie de poivrons et de câpres. Les *ojjas* sont des œufs durs accompagnés de viande et de poivrons, et la *chakchouka* est une ratatouille tunisienne généralement agrémentée de viande de veau. Les plats à base de viande grillée ou cuite en ragoût sont très courants. Profitez-en pour goûter aux *merguez*, ces saucisses pimentées au bœuf ou au mouton, dont la couleur rouge révèle le degré de piquant.

Les végétariens trouveront de nombreuses spécialités à leur goût ; il leur suffira de le préciser à la commande. En outre, ils apprécieront le **poisson** qui se mange couramment, souvent servi entier et grillé. Les principales espèces consommées sont le mulet, le rouget, le loup de mer et le thon. On vous apportera la pêche du jour sur un plateau pour que vous choisissiez votre poisson. En cas contraire, demandez-le sinon vous pourriez avoir la surprise d'une énorme pièce dans votre assiette ! Le prix indiqué sur les cartes est pour 100 g, il vous sera facturé en fonction du poids. Ils sont également cuisinés en ragoût ou dans le *couscous*.

Desserts

Les pâtisseries tunisiennes sont généralement très sucrées, comme le *baklaoua* (feuilleté farci de miel et de noix), le *loukoum* (sucrerie turque), l'*halva* (préparation sucrée à base de graines de sésame) et les *makhrouds* (gâteau de semoule trempé dans du miel, fourré de dattes). Les entremets peuvent se révéler savoureux. Les fruits frais sont aussi présents au menu, comme les melons, les pastèques et les grenades.

Boissons non alcoolisées

Lors de vos repas ou de vos déplacements, vous pourrez vous procurer partout de l'**eau minérale** en bouteille (gazeuse ou non). Canettes et bouteilles de boissons non alcoolisées sont également très répandues. Évitez les jus d'oranges frais (très tentants mais qui pourraient provoquer quelques troubles intestinaux !).

Le **thé à la menthe** est extrêmement populaire. Souvent déjà sucré, il est servi dans de petits verres, parfois avec des pignons. Rafraîchissant lorsque la température est élevée, on lui prête également des vertus digestives. La tradition veut que l'on offre du thé aux visiteurs, et puisqu'un refus serait considéré comme un manque de politesse, il est conseillé d'accepter la boisson, même si vous ne daignez qu'y tremper les lèvres. Prenez garde au verre qui est toujours brûlant, tenez-le par le haut entre le pouce et l'index.

Le **café** est également très apprécié, sous la forme généralement d'un expresso ou d'un cappuccino, mais vous pourrez demander un café crème. Le café turc, quant à lui, est un café noir fort et épais.

Vins et spiritueux

La bière, le vin et d'autres boissons alcoolisées ont beau être en vente, n'oubliez pas que vous êtes dans un pays musulman. Votre serveur peut être un musulman pratiquant, à qui tout alcool est interdit. Si vous voulez offrir un verre à un Tunisien, ne présumez pas automatiquement qu'il vous répondra par la positive. Vous devez donc faire preuve de tact et ne jamais insister si quelqu'un refuse de consommer de l'alcool.

La **bière** existe en canettes et en bouteilles, parfois aussi en pression, bien que le choix soit limité. La principale marque de bière locale est la *Celtia*, une bière blonde légère et rafraîchissante, avec laquelle rivalisent une ou deux

nouvelles variétés, créées pour répondre à la demande des touristes. Elles sont meilleur marché que les bières d'importation, et la plupart des gens les jugent tout à fait correctes. On peut en dire autant du **vin**, provenant essentiellement du Cap Bon. Optez plutôt pour un rouge, réputé meilleur que le blanc. Goûtez aussi aux rosés *(Sidi Raïs)* très nombreux. On trouvera aussi des vins français, bien entendu plus chers que les vins locaux, parmi lesquels le *Magon rouge* et le *Kelibia*, sec et agréable.

Si vous appréciez les spiritueux, essayez la *boukha*, une liqueur de figues, et la *Thibarine,* alcool de vin préparé avec des dattes et des herbes. Prenez garde car ces alcools peuvent être très forts.

Quelques adresses

Pour goûter à la gastronomie tunisienne, choisissez les restaurants dans le **centre de Tunis**, à l'intérieur ou autour de la médina et sur l'avenue Habib Bourguiba. **La Goulette** et **La Marsa** offrent le plus grand choix de restaurants de poissons. Amusez-vous à arpenter les rues jusqu'à ce qu'un établissement ou un menu retienne votre attention. Sinon, consultez notre sélection ci-dessous.

Tunis
Médina
Dar el Jeld *5, rue Dar el Jeld,* © (01) 260 916.

L'un des plus célèbres restaurants de Tunis, logé dans une superbe maison du 18ᵉ s. Un service de qualité et un large choix de spécialités tunisiennes. Musique presque tous les soirs. (*Cher. Fermé le dimanche. Réservation conseillée.*)
Dar Bel Hadj *17, rue des Tamis,* © (01) 336 910.

Cette ancienne demeure a été aménagée en restaurant haut de gamme censé rivaliser avec le Dar el Jeld. Le service est soigné, la cuisine appréciable (et la crème tunisienne, à la pistache, une véritable douceur !). Musique le week-end. (*Cher. Réservation conseillée.*)
Café Zitouna *Rue Jamma el Zitouna*
Restaurant au décor carrelé, situé dans la rue principale à l'entrée de la médina. Plus modeste que les deux précédents, il sert une cuisine tunisienne authentique dans une ambiance moins formelle. (*Modéré*)

Ville moderne

L'Astragale *17, av. Charles Nicolle,* © (01) 890 455.
Installé dans une villa des années 1920 près du parc du Belvédère, seul le cadre vous dépaysera car ce restaurant français sert de la « nouvelle cuisine ». (*Cher*)
Chez Slah *14 bis, rue Pierre de Coubertin,* © (01) 258 588.
Cette maisonnette blanche aux volets bleus, bien que située dans une rue peu avenante

Paisible ruelle de la médina de Tunis.

perpendiculaire à l'av. Bourguiba, vaut le détour. C'est l'un des meilleurs restaurants de poissons du centre-ville paraît-il, et l'on s'y presse. (*Cher. Réservation conseillée.*)
Restaurant Le Duc *7 bis, rue Ghandi,* © (01) 350 020.
La Tunisie a une longue histoire judéo-chrétienne derrière elle, bien que non kascher, ce restaurant propose un menu juif tunisien. Un peu à l'écart, proche de l'av. Mohammed V, il ne manque pas moins d'animation. (*Modéré. Fermé le vendredi soir et le samedi midi.*)
Le Baghdad *29, av. Habib Bourguiba,* © (01) 259 068.
Avec sa décoration murale à l'image des *Mille et une Nuits*, ce vaste restaurant à l'ambiance

À *Sidi Bou Said, le* Café Des Nattes *reste un incontournable.*

orientale affiche un exotisme un peu de pacotille. On y sert cependant de la bonne cuisine tunisienne, parfois en musique. (*Modéré*)

Chez Nous *5, rue de Marseille,* © (01) 723 992.

Vous pourrez passer devant sans le voir, mais il serait dommage de ne pas pousser la porte de cette petite enseigne. Parfaite alliance de la cuisine française et tunisienne, ce restaurant, où les photos des clients célèbres recouvrent les murs, est toujours bondé. (*Modéré*)

La Mamma *11, rue de Marseille,* © (01) 241 256.

Assortiment de plats italiens, français et tunisiens dans ce restaurant fréquenté par la population locale. Demandez le poulpe épicé, cuit au barbecue. (*Bon marché*)

En passant

Si entre deux visites vous souhaitez simplement combler un petit creux rapidement, arrêtez-vous au *Baguette & Baguette* (9, av. de Paris), le Mac Do local qui propose pizzas et pâtes en plus des traditionnels hamburgers. Autrement, vous trouverez sandwiches et salades à *La Pause* (59, av. Habib Bourguiba).

La Goulette

Le Café Vert *68, av. Franklin Roosevelt,* © (01) 736 156.

Il est réputé pour son « complet » (assortiment de poissons frits, servi avec des frites et autres garnitures) et son couscous de poisson le dimanche. (*Modéré. Fermé le lundi midi.*)

Le Grill *52, av. Franklin Roosevelt,* © (01) 735 534.
Bonne cuisine pour ce restaurant simple. Sa spécialité, le poisson grillé, pêché le jour même. (*Modéré*)

Lucullus *1, av. Habib Bourguiba,* © (01) 737 310.
Une enseigne incontournable donnant sur la place du 7 novembre. Vous choisirez votre poisson parmi les prises du jour. (*Modéré*)

La Marsa

Koubet el Haoua *rue Mongi Slim,* © (01) 729 777.
Comment ne pas tomber sous le charme de ce petit palais blanc sur pilotis, ancienne résidence d'été ? Dans un intérieur contemporain harmonieux, vous apprécierez une cuisine raffinée à la saveur tunisienne relevée d'une touche française.

Gammarth

El Melia *Hôtel Corinthia Khamsa, les Côtes de Carthage,* © (01) 911 100.
Excellent restaurant servant des spécialités tunisiennes comme le couscous de poisson à la mode de Jerba, avec un trio jouant de la musique douce tous les soirs. (*Modéré. Fermé le midi.*)

Sidi Bou Saïd

Au Bon Vieux Temps *56, rue Hedi Zarrouk,* © (01) 744 788.

Installé dans une maison traditionnelle, cet établissement, également connu sous le nom d'Ayem Zamen, propose des spécialités tunisiennes, des poissons frais et viandes grillées. (*Cher*)

Café des Nattes *Place Sidi Bou Saïd.*
Au cœur de la ville ancienne, c'est le lieu idéal pour observer les passants tout en sirotant un thé à la menthe ou un café, ou encore en prenant une collation. (*Bon marché*)

Bizerte

Le Sport Nautique *Quai Tarak Ibn Ziad,* © (02) 431 495.
Élégant restaurant de poissons bénéficiant d'un superbe cadre en front de mer. Il sert du vin pour accompagner les huîtres, le thon, le mulet ou les autres poissons frais du jour, sans oublier le couscous de poisson et le risotto de poisson. (*Cher. Fermé en hiver.*)

Restaurant du Bonheur *31, rue Thaalbi,* © (02) 431 047.
Rien de bien original, mais un restaurant couleur local servant des grillades et de délicieux poissons frais. (*Bon marché*)

Hammamet

Chez Achour *55, rue Ali Belhaouane,* © (02) 280 140.
Apprécié de la population locale comme des touristes, ce restaurant tranquille (à l'écart de l'animation du centre) et ombragé, offre un vaste choix de plats de poissons. Musique le week-end. (*Modéré*)

Au souk, si vous ne vous laissez pas tenter par un tapis...

Pomodoro 6, *av. Habib Bourguiba*, © (02) 281 254.
Restaurant en front de mer proposant un assortiment de plats tunisiens, français et italiens. (M*odéré*)
Barberousse, © (02) 280 037.
Au pied de la kasba, il vous suffit de lever la tête pour apercevoir la terrasse de ce restaurant offrant une belle vue sur la mer de ce côté et sur la médina de l'autre. Cuisine simple, qu'importe vous vous sentirez bien en ce lieu.

Nabeul
Restaurant de l'Olivier *av. Hedi Chaker*, © (02) 286 613.
Ce restaurant stylé agréablement ombragé sert d'excellentes spécialités françaises. Carte des vins internationale. (*Cher*)

SHOPPING

L'artisanat traditionnel tunisien est très varié. Pour faire de bonnes affaires, rendez-vous dans les médinas de Tunis, d'Hammamet et autres grandes villes, et préparez-vous à marchander dans les **souks**. Le marchandage fait partie du mode de vie tunisien, même si les prix sont affichés. À l'inverse de la population locale, qui commence par faire une offre sur laquelle le marchand essaye de renchérir, les touristes qui ignorent les tarifs pratiqués laissent souvent l'initiative au commerçant. En règle générale, il convient d'offrir environ un tiers du prix demandé, pour négocier la moitié du prix initial, à force de palabres. Les articles coûteux, comme les tapis, nécessitent généralement de longues discutions, entrecoupées de plusieurs verres de thé. Si cela n'aboutit pas, faites mine de vous éloigner de la boutique et si votre prix n'est pas trop bas, le marchand vous rappellera probablement.

Évitez les échoppes à l'entrée des souks ou le long des rues principales car les prix y sont excessifs, et partez plutôt à la recherche de boutiques plus authentiques. Ne vous sentez pas obligé d'entrer dans une boutique ou d'acheter quelque chose juste parce qu'on vous a servi du thé, mais si vous ne souhaitez rien acheter, faites-le clairement savoir. Il serait malvenu de vous montrer

intéressé ou de marchander si vous n'avez aucune intention d'achat.

Si l'idée du marchandage vous répugne, allez dans les magasins d'état situés dans les grandes villes et pratiquant des prix fixes. Ils sont peut-être légèrement plus chers, mais la qualité est garantie. Il est judicieux de s'y rendre avant de visiter les souks, afin de vous faire une idée des prix et de la qualité pour pouvoir ensuite mieux apprécier les choses à leur juste valeur. Les magasins de la **SOCOPA,** qui vendent divers articles, sont recommandés par l'ONAT (Office National de l'Artisanat Tunisien). À Tunis, les magasins SOCOPA se trouvent dans

...vous rapporterez au moins le souvenir d'une expérience.

le *Palmarium*, à l'angle de l'av. Bourguiba et de l'av. de Carthage, et rue Kord Ali-El Omrane. Nabeul en compte deux, au 144, av. Farhat Hached et au 93, Habib Thameur.

Dans les souks, vous devrez généralement payer en espèces, tandis que les boutiques des grandes stations balnéaires acceptent parfois les cartes de crédit pour les gros achats. Gardez toujours votre reçu, vous pourriez en avoir besoin au retour pour régler les éventuels droits de douane et la TVA. La plupart des boutiques peuvent expédier les articles encombrants (comme les tapis) à votre domicile. Ce service, généralement fiable, peut prendre un certain temps.

Sinon, vous pourrez flâner par curiosité dans le **centre commercial** du *Palmarium* (*voir ci-dessus*), de conception moderne, qui renferme des boutiques sur trois étages. Le *Colisée* sur l'avenue Bourguiba vous paraîtra désuet en regard, mais son côté rétro et son café au centre de la rotonde en font le charme. Et bientôt les accros du shopping dernier cri se retrouveront au prometteur *Claridge Maki* (*actuellement en construction sur l'av. Bourguiba*), grand complexe commercial qui fera également office de centre d'animations et de services.

Ce que l'on peut acheter

La fabrication des **tapis** est une tradition tunisienne ancestrale. Ils sont onéreux, vous devez donc vous assurer de leur qualité. Un article authentique doit porter l'étiquette officielle de l'ONAT, gage de qualité

Beau choix aussi du côté de la maroquinerie.

indiquant qu'il s'agit d'un
« deuxième choix », d'un « premier
choix » ou d'une « qualité
supérieure ». Entièrement faits main,
les plus chers sont les *zerbia* à points
noués – le plus grand nombre de
points attestera le degré de qualité – ;
les *mergoum*, tapis à poil ras à
l'origine de Kairouan (sorte de
Mecque du tapis) sont également
fabriqués par des ateliers dans tout le
pays, comme à Den-Den. La netteté
des contours des motifs est un autre
signe de qualité. Les *kilim*, tapis tissés
berbères, sont meilleur marché.

Nabeul, sur la péninsule du Cap
Bon et Guellala, sur l'île de Jerba,
sont les deux principaux centres de
production des **poteries**, bien que
ces deux styles soient en vente un
peu partout. Les motifs de Nabeul
témoignent de l'influence arabe
et andalouse, tandis que ceux de
Guellala sont d'origine berbère et
possèdent un style gréco-romain
classique. Les carreaux, vases,
assiettes et autres articles
constituent des souvenirs
à la fois typiques et abordables.

Les plus beaux **bijoux** sont
des articles en argent d'inspiration
berbère qui sont exécutés par des
artisans juifs de Jerba. La main
de Fatima ou les poissons, symboles
de chance, sont des motifs très
courants. Quant aux bijoux en or,
l'intensité de l'or ne dépasse pas
généralement 12 ou 14 carats.
Évitez d'acheter des bijoux en
coraux de Tabarka, car le corail

Musiciens traditionnels.

est protégé et a probablement
été pêché de manière illégale.

Les **articles en cuir**, comme
les babouches, sacs à main et
portefeuilles, sont dignes d'intérêt,
mais il conviendra de vérifier la
qualité des piqûres, en particulier
sur les vestes et ceintures. On citera
aussi les articles traditionnels en
cuivre et **laiton**, aux motifs ciselés
ou martelés, les **articles de
vannerie**, les **vêtements** comme les
jellabas en coton ou les chapeaux
de feutre rouge (*chéchias*), les jattes,
cuillers et autres ustensiles taillés
dans du **bois d'olivier**, ainsi que les
marionnettes en bois de Saracen.

DISTRACTIONS ET VIE NOCTURNE

Pays musulman, la Tunisie n'est pas la destination privilégiée des noctambules, et les manifestations culturelles sont limitées, même à Tunis. Les Tunisiens aiment se retrouver en famille ou entre amis, et les discussions suffisent généralement à les divertir. Le soir, il semble parfois que deux mondes parallèles coexistent sans quasiment se rencontrer. Les touristes étrangers demeurent dans leur hôtel ou s'aventurent à la recherche d'un restaurant, tandis que la population locale reste chez elle ou passe le temps dans les cafés.

Tous les grands hôtels touristiques possèdent des **bars**, et les jeunes Tunisiens y font souvent un tour pour discuter entre amis ou avec des étrangers. La plupart des bars à Tunis acceptent les non-résidents et sont réservés à la gente masculine ; mais comme l'islam interdit la consommation d'alcool, ces établissements présentent un caractère clandestin et ne sont pas très accueillants.

Nombre d'hôtels sont également équipés de **discothèques** ou de **night-clubs** qui proposent souvent concerts de musique et spectacles de danse tunisienne. On peut parfois assister à des numéros distrayants de charmeurs de serpent et des danseuses du ventre, même s'ils ne reflètent pas vraiment la culture locale.

Certains **restaurants** offrent des distractions plus authentiques, comme des spectacles musicaux destinés aux convives étrangers et locaux.

Les divers **cinémas** de Tunis sont fréquentés par la population locale et projettent des mélodrames arabes ainsi que des films violents produits à Hollywood. Dans la rue Ibn Khadoun (perpendiculaire à l'av. Bourguiba), vous trouverez côte à côte le *Mondial* et l'*ABC* qui proposent les succès de la saison.

Le principal **théâtre** est le **théâtre municipal**, sur l'av. Habib Bourguiba (✆(01) 247 700). Il accueille des concerts de musique arabe locale et des musiciens classiques en tournée, ainsi que des opéras, des œuvres dramatiques et des concerts de rock. À la **Maison du Théâtre et du Cinéma**, av. de Paris, il vous faudra surmonter la barrière linguistique.

LOISIRS SPORTIFS

En spectateur

Le sport favori à Tunis comme dans le reste du pays est le **football**. La Tunisie possède l'une des meilleures équipes africaines, qui s'est qualifiée pour les finales de la Coupe du Monde 1998 en France. Les équipes des clubs de Tunis ont remporté la Coupe de la Fédération africaine ainsi que le championnat d'Afrique. Les deux principaux clubs de la ville, l'*Espérance Sportif* et le *Club Africain*, jouent sur le stade El Menzah dans la Cité olympique (sur la route du Cap Bon). Si vous souhaitez aller les encourager, sachez que leurs matches sont disputés en alternance le dimanche après-midi à 14 h ou 16 h, selon la saison.

Les amateurs de **courses de chevaux** peuvent se rendre à

Le football : une passion nationale !

l'hippodrome de Kassar Saïd, 10 km à l'Ouest du centre-ville, où les courses se déroulent le dimanche après-midi à partir de 13 h. Kassar Saïd est également le siège du club hippique.

Comme dans de nombreux autres pays arabes, la **fauconnerie** est un loisir très prisé, pratiqué de mars à juin. Tous les ans en juin, un festival de fauconnerie se tient à El Haouaria, sur la péninsule du Cap Bon *(consultez l'ONTT pour les dates du festival qui sont variables).*

En sportif
Ceux qui voudraient s'adonner à d'autres activités que la culture ou le farniente, ils auront le choix entre le **golf** et les **sports nautiques**. Le principal terrain de golf de Tunis, à 10 km du centre-ville, est le Golf de Carthage (℡ (01) 765 919), parcours de 18 trous, avec practice et club house. On recense aussi deux terrains de golf à Hammamet. Le Centre nautique international de Tunisie (22, rue de Médine, Tunis, ℡ (01) 282 209) vous informera sur les multiples activités nautiques proposées notamment dans de nombreux hôtels de bord de mer à Gammarth. Planche, plongée ou voile sont à l'affiche des stations balnéaires.

Le **tennis** est aussi un sport très populaire que l'on pratiquera sur les courts des nombreux grands hôtels ou dans les clubs privés de Tunis, dont le club du Belvédère (parc du Belvédère), et le club du parc des Sports (av. Mohammed V).

DESTINATION TUNIS

Avant le départ

Un passeport en cours de validité est exigé pour tous les visiteurs étrangers. Les citoyens de l'Union européenne n'ont pas besoin de visa pour les séjours de moins de 3 mois. Aucun vaccin n'est obligatoire. Cependant, il est plus prudent d'être vacciné contre le tétanos, la typhoïde, ainsi que l'hépatite A et B. Nous vous recommandons vivement de souscrire une assurance avec couverture médicale intégrale.

L'**Office national du tourisme tunisien (ONTT)** pourra vous fournir des brochures et des informations qui vous aideront à planifier votre voyage à Tunis. Il possède des bureaux aux adresses suivantes :

France : 32, avenue de l'Opéra, 75002 Paris, ✆ 01 47 42 72 67, fax : 01 47 42 52 68.

Belgique : 60, galerie Ravenstein, 1000 Bruxelles, ✆ (02) 511 11 42, fax : (02) 511 36 00.

Suisse : Banhofstrasse 69, 8001 Zurich, ✆ (01) 211 48 30, fax : (01) 212 13 53.

Canada : 1253 McGill College, Office Suite 655, Montréal, Québec H3B 2Y5, ✆ (514) 397 1182, fax (514) 397 1647.

Comment s'y rendre

En avion

L'aéroport de **Tunis-Carthage** (✆ (01) 754 000/755 000/848 000) est situé à environ 9 km au nord-est de la capitale.

Les vols réguliers sont assurés par les compagnies aériennes :

– **Air France**, 119 av. des Champs-Élysées, 75008 Paris, renseignements & réservations : ✆ 0 802 802 802 ou www.airfrance.fr. La compagnie propose 3 vols quotidiens pour Tunis au départ de Paris et des départs également de Bordeaux, Lille, Lyon, Marseille, Nice, Strasbourg et Toulouse. Tarifs réduits : ceux du « Kiosque », pour les billets pris 48 heures à l'avance ; les vols « Tempo » (1,2,3 ou 4) offrent des réductions très avantageuses par rapport au tarif en classe économique.

– **Tunisair**, 17 rue Daunou, 75002 Paris, renseignements & réservations : ✆ 0 820 044 044. La compagnie nationale propose au moins 2 vols quotidiens Paris-Tunis et dessert également la capitale tunisienne au départ de Bordeaux, Lille, Lyon, Marseille, Nice et Strasbourg. Elle propose aussi des vols réguliers au départ de grandes destinations internationales (comme Bruxelles ou Genève). Réductions possibles. À Tunis, vous trouverez un bureau de Tunisair au 48 av. Habib Bourguiba (✆ (01) 336 500/330 100 ou réservations (01) 700 700/700 008).

À votre arrivée à l'aéroport, vous pouvez prendre la ligne de **bus** 35 jusqu'à Tunis (arrêts : Habib Bourguiba, Tunis Marine et Place de Palestine). La fréquence des bus est d'une demi-heure et le trajet dure environ 30 minutes. Si vous préférez prendre un **taxi**, il vous en coûtera environ 5D, mais vérifiez le compteur au début du trajet.

Les vols **charters** atterrissent généralement à l'aéroport de Skanès, près de Monastir. Certes ils sont moins chers mais vous devrez parcourir environ 170 km pour rejoindre Tunis.

En voiture
Pour faire entrer votre véhicule en Tunisie, munissez-vous de votre permis de conduire, de votre carte grise et de votre attestation d'assurance. Les services douaniers vous délivreront un permis spécial qui vous sera réclamé à la sortie du territoire. *Voir aussi* **Conduire** *p114.*

En bateau
Pour tous renseignements, contactez la **SNCM Ferryterranée** (www.sncm.fr) à Paris (12 rue Godot-de-Mauroy, 75009, ✆ 08 36 67 5 00) ou à Marseille (BP 90, 13472, ✆ 08 36 67 21 00, fax 04 91 56 35 86).

Des ferries desservent le port de La Goulette depuis Marseille (24 h), Trapani, en Sicile (8 h), Gênes (24 h) et Naples (14 h). Réservez longtemps à l'avance, en particulier si vous voyagez en été et si vous souhaitez embarquer votre véhicule.

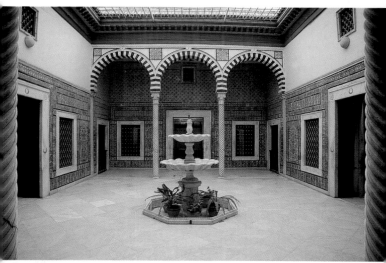

Exemple de cour typique au musée du Bardo.

A à Z

Ambassades et consulats

France — Ambassade de Tunisie, 25 rue Barbet-de-Jouy, 75007 Paris, ✆ 01 45 55 95 98, fax 01 45 56 02 64. Consulat, 17 rue de Lubeck, 75016 Paris, ✆ 01 53 70 69 10, fax 01 47 04 27 79.

Belgique – Ambassade de Tunisie, 278 av. de Tervueren, 1150 Bruxelles, ✆ (02) 771 73 95. Consulat, 103 bd St-Michel, 1040 Bruxelles, ✆ (02) 732 61 02/736 91 58, fax (02) 732 55 06.

Suisse – Ambassade de Tunisie, 63 Kirchenfeldstrasse, 3005 Berne, ✆ (31) 352 82 26/15 85, fax (31) 351 04 45.

Canada – Ambassade de Tunisie, 515 rue O'Connor, Ottawa, KIS 3 P8 Ontario, ✆ (613) 237 03 30/32.

Et sur place :

France – 2, place de l'Indépendance, 1000 Tunis RP, ✆ 358 111, fax 358 198.

Belgique – 47, rue du Iᵉʳ juin, BP 24, 1002 Tunis Belvédère, ✆ 781 655, fax 792 797.

Suisse – 10, rue Ech-Chenkiti, Mutuelleville, Cité Mahrajane, 1082 Tunis, ✆ 781 321, fax 788 796.

Canada – 3, rue du Sénégal, BP 31, 1002 Tunis, ✆ (01) 798 004/796 577, fax (01) 792 371.

Argent

Le *dinar* tunisien vaut 0,81 € (le cours peut varier). Il est divisé en 1 000 millimes. Les pièces sont de 5, 10, 20, 50, 100 millimes, 1/2 et 1 dinar. Les billets existent en coupures de 5, 10, 20 et 30 dinars.

Vu l'impossibilité de changer des devises contre des dinars ailleurs qu'en Tunisie, vous devrez changer votre argent sur place dans les bureaux de change de l'aéroport ou dans les banques ou bureaux de poste de la ville. De nombreux hôtels offrent également un service de change. Le taux de change officiel est fixé par la banque centrale tunisienne, et la plupart des banques ne prélèvent aucune commission (excepté parfois sur les chèques de voyage). Nous vous conseillons de convertir votre argent au fur et à mesure de vos besoins, car les bureaux de change frontaliers ne vous reprendront pas plus de 30 % de la somme convertie en dinars (conservez soigneusement vos bordereaux de change).

Ayez toujours sur vous de la petite monnaie, utile pour les taxis, les transports en commun, les pourboires, etc.

Les principales **cartes de crédit**

sont acceptées dans les boutiques touristiques officielles, les grands hôtels et les restaurants, à quelques exceptions près. Les achats effectués dans les souks doivent généralement être réglés en espèces.

La plupart des banques ont un bureau de change et des distributeurs automatiques de billets acceptant les cartes étrangères. Vous trouverez ces **distributeurs** : av. Mohammed V ; 52, av. Habib Bourguiba ; 57, rue Mokhtar Attia, dans le centre commercial Dorra ; place de la Victoire et rue Hedi Nouira. Pour American Express, allez au 59, av. Habib Bourguiba.

Bureaux d'informations touristiques

Les bureaux de l'Office National du Tourisme Tunisien (**ONTT**) en Tunisie pourront vous renseigner mais il ne faudra pas trop en demander !

Le bureau de Tunis est situé 1, av. Mohammed V, 1001 Tunis, ℂ (01) 341 077, fax (01) 350 997 (*ouvert en été du lundi au samedi de 8 h à 13 h et de 16 h à 19 h, le dimanche de 9 h à midi ; en hiver du lundi au samedi de 8 h à 18 h et le dimanche de 9 h à midi*). Vous trouverez des antennes à l'**aéroport** Tunis-Carthage (ℂ (01) 755 000) et à la **gare ferroviaire**, place de Barcelone, (ℂ (01) 334 444).

L'Office Régional du Tourisme Tunisien (CRTT) se situe 31, rue Hasdrubal, ℂ (01) 845 618/840 622, fax (01) 842 492.

Bureaux de poste

Le principal bureau de poste se trouve au 30, rue Charles-de-Gaulle, entre la rue d'Espagne et la rue d'Angleterre. Il est ouvert du lundi au samedi de 8 h à 18 h et le dimanche de 9 h à 11 h.

Les **timbres** sont également distribués dans de nombreux bureaux de tabac, ainsi que dans certains hôtels et boutiques pour touristes. L'affranchissement d'une lettre pour l'Europe pesant jusqu'à 20 g coûte 500 millimes (700 millimes pour le Canada) et celui d'une carte postale 400 millimes (600 millimes pour le Canada). *Voir également* **Horaires d'ouverture.**

Camping

Le camping n'est pas développé en Tunisie, et les terrains se limitent souvent à un lopin de terre et à des sanitaires rudimentaires. Si vous souhaitez faire du camping « sauvage », vous devez obtenir l'autorisation du propriétaire foncier et en informer les autorités locales. Dans le Sud en revanche, les circuits de randonnée dans le Sahara comportent souvent une nuit ou deux à la belle étoile dans un camp berbère traditionnel.

Cartes et Guides

Vous pourrez vous procurer un plan de Tunis et de la médina, indiquant l'emplacement des principales curiosités, à l'**ONTT** s'il n'est pas en rupture de stock auquel cas vous irez en acheter un dans un des nombreux kiosques à journaux !

La carte **n° 956** (1/800 000) de Michelin sur la Tunisie, vous permettra de tracer les itinéraires de votre circuit en Tunisie ou de vos excursions au départ de Tunis.

Le **Guide Neos Tunisie** édité par Michelin comprenant des descriptions détaillées des villes et attractions, des plans et des informations pratiques vous aidera également à planifier votre escapade à Tunis, voire à la prolonger au-delà de la capitale.

Climat *voir p. 91*

Conduire à Tunis

La Tunisie possède un excellent réseau routier et la plupart des routes ont un revêtement dur, en particulier dans le Nord du pays. Les grandes villes sont reliées par des nationales appelées « Grands Parcours », et la seule autoroute à péage est celle reliant Tunis et Sousse. À la sortie des villes, faites attention aux enfants et au bétail présents sur les routes.

Les panneaux de signalisation sont habituellement bilingues français-arabe, sauf au Cap Bon, où ils sont parfois uniquement écrits en arabe, malgré la fréquentation touristique.

Voici quelques **règles** à respecter : le port de la ceinture est obligatoire et une ceinture non bouclée peut donner lieu à une contravention immédiate. Les

limites de vitesse sont de 50 km/h en ville, 90 km/h sur route et 110 km/h sur autoroute (entre Tunis et Sousse).

Les **stations-service** sont nombreuses et certaines ouvertes 24 h/24 7 J/7, mais elles n'acceptent pas toutes les cartes de crédit. Le prix de l'essence est fixé par le gouvernement.

La voiture sera très utile pour se rendre au musée du Bardo, sillonner la banlieue ou partir en excursion, mais très peu pratique pour se déplacer dans Tunis même. En effet, la conduite en ville peut se révéler très compliquée en raison d'un système déconcertant de voies à sens unique et des problèmes de stationnement. Les places de parking sont très limitées, et les parcmètres sont souvent hors d'usage. Vous devrez acquitter un droit de stationnement auprès des fonctionnaires habilités à cet effet, mais également parfois auprès de gardiens de parking n'ayant pas de statut officiel. En cas de doute, demandez à voir leur licence avant de payer. Si vous stationnez dans un endroit non autorisé, votre véhicule pourra être immobilisé avec un sabot. Bref, dans le centre-ville il sera plus judicieux d'utiliser les transports en commun, de prendre le taxi ou tout simplement de marcher !

En cas de panne, contactez **SOS Remorquage** (24 h/24) : ☎ 801 211 ou 840 840.

Voir également **Avant le départ, location de voiture.**

Courant électrique

Le courant est de 220 volts dans tous les nouveaux bâtiments et de 110V dans les vieux édifices.

Criminalité

La criminalité est relativement faible, mais elle existe, vous devez donc prendre un minimum de précautions contre le vol. Surveillez vos sacs et portefeuilles dans les souks et sur les principaux sites touristiques, terrains de chasse favoris des pickpockets, en particulier le soir. Les beaux appareils photo sont la cible privilégiée des voleurs, vous devez donc éviter de les montrer ostensiblement. Le jour, les femmes peuvent se promener dans la médina sans danger, mais doivent être prudentes la nuit.

- Ayez sur vous un minimum d'espèces et de cartes de crédit, et laissez tous vos objets précieux dans le coffre de l'hôtel.
- Rangez votre porte-monnaie et votre portefeuille dans des poches fermées, portez votre sac en bandoulière, ou coincé sous le bras.
- Les voitures sont souvent fracturées. Fermez soigneusement votre véhicule, et ne laissez aucun objet de valeur en vue.

Si l'on vous dérobe quelque chose, faites établir un procès-

Et pourquoi pas rapporter des épices ?

verbal pour la compagnie d'assurance. Faites-vous accompagner d'un ami comme témoin et en cas de doute, appelez votre ambassade.

Police secours : © 197
Protection civile : © 198

Eau *voir Santé*

Enfants

Les Tunisiens adorent les enfants et les accueillent chaleureusement. Les hôtels proposent non seulement des activités pour les distraire mais aussi des réductions pour un lit supplémentaire dans la chambre des parents. Toutefois il vaut mieux ne pas les emmener au plus fort de l'été, lorsque la chaleur est écrasante. À noter aussi certains problèmes digestifs mineurs dont les enfants peuvent souffrir.

Étiquette

Les Tunisiens sont généralement hospitaliers et accueillants. Si un Tunisien vous invite chez lui, apportez un petit cadeau pour les enfants (confiseries ou pâtisseries). Lavez-vous les mains avant de passer à table et utilisez seulement trois doigts de la main droite pour manger si toutefois il n'y a pas de couverts (ce qui est rare en ville). Vous devez goûter à tout, mais n'êtes pas obligé de consommer la totalité des mets qui vous sont présentés. Le **thé** à la menthe est un signe d'hospitalité que vous ne pouvez refuser (même s'il est trop sucré !) et vous devez vous attendre

à voir votre verre rempli trois fois de suite selon la coutume.

Comme la Tunisie est un **pays musulman**, vous devez respecter les lois et sensibilités religieuses. Abstenez-vous de boire, de manger ou de fumer en public entre le lever et le coucher du soleil durant le Ramadan, période de jeûne pour tous les musulmans. Les non-musulmans ne sont pas autorisés à pénétrer dans les mosquées. Il n'est nul besoin de vous couvrir entièrement, mais les femmes portant des minijupes, des shorts ou des hauts très dénudés s'exposent à la réprobation des personnes traditionalistes, et à un intérêt un peu exagéré de la part des hommes les plus jeunes.

Le **marchandage** est un mode de vie qui a franchi les frontières des souks pour s'étendre jusqu'aux salles des conseils d'administration. Les négociations ont la plupart du temps un aspect informel et enjoué, mais évitez de pratiquer le marchandage juste pour le plaisir.

Les **cafés** sont généralement considérés comme un territoire masculin, et les femmes non accompagnées peuvent s'y sentir mal à l'aise.

Femmes voyageant seules

Les femmes peuvent voyager seules sans trop craindre d'être importunées, mais elles font figure de bêtes curieuses. Malgré l'ouverture d'esprit des Tunisiens, une femme seule reste suspecte ! Mesdames vous éviterez donc d'aller dans les cafés ou les restaurants (à l'exception des restaurants des hôtels) non accompagnées. Vous redoublerez de vigilance le soir en évitant les rues peu fréquentées et la médina. Souvenez-vous que la Tunisie est un pays islamique et que la pudeur s'impose en dehors des plages et des hôtels. En outre la discrétion limitera les sollicitations ! Attendez-vous cependant à être souvent apostrophée : « gazelle » (dérivé du mot arabe « ghouzela », signifiant jolie) par-ci et « comment tu t'appelles » par-là… Passez votre chemin, on vous laissera tranquille. Certains se montreront peut-être un peu insistant, restez indifférente. En bref, ne vous montrez pas trop aventureuse !

Formalités

À l'arrivée en Tunisie, sont admis par voyageur adulte : 1 bouteille de vin et 1 bouteille de spiritueux, ou 3 bouteilles de vin ; 200 cigarettes ou 50 cigares ou 250 g de tabac.

Au retour (dans tous les pays de l'UE), les quotas suivants s'appliquent pour les produits détaxés ou marchandises achetés en dehors de l'UE : 200 cigarettes ou 100 cigarillos ou 50 cigares ou 250 g de tabac ; 1 litre de spiritueux, ou 2 litres de vin pétillant ou liquoreux et 2 litres de vin ; 50 g de parfum ou 250 cl d'eau de toilette.

À votre arrivée en Tunisie, vous devrez remplir un formulaire déclarant le montant des devises et la valeur des objets précieux en votre possession. Gardez cette déclaration car elle vous sera demandée lorsque vous quitterez le pays. Conservez également tous les bordereaux de change, car vous serez peut-être interrogé en détail. Il vous est interdit d'importer ou d'exporter des dinars. *Voir également* **Argent**.

Hammam

Les Tunisiens aiment à se rendre au hammam pour le bien-être corporel que cela procure mais aussi pour se retrouver entre amis. Les hommes et les femmes y vont séparément (heures d'ouvertures différentes ou lieux séparés) et en faire l'expérience est un agréable moyen de découvrir une autre facette du mode de vie en Tunisie.

Vous entrerez dans une salle centrale où la maîtresse des lieux

Entrée d'un hammam dans la médina.

(*beya*) vous indiquera la suite des opérations et vous adressera à une assistante si vous le souhaitez (on s'occupera de vous personnellement moyennant rétribution). Vous déposerez vos affaires dans un casier puis vêtu seulement de votre pagne et de vos sandales, muni de votre gant et de votre savon, vous entrerez dans le hammam. Vous irez progressivement de salle en salle de plus en plus chaudes. Après avoir bien transpiré vous vous frotterez vigoureusement afin de vous débarrasser des peaux mortes. Ensuite vous vous laverez dans une salle plus froide. Enfin, pourquoi ne pas vous offrir le luxe d'un massage à l'argile parfumée (*tfal*) avant d'aller vous reposer dans le hall central ? Voilà, il ne vous restera plus qu'à vous rhabiller pour retourner frais et dispo dans la chaleur tunisienne.

Handicapés

Les infrastructures destinées aux personnes à mobilité réduite sont assez rares. Certains grands hôtels sont équipés de chambres spécialement conçues pour recevoir les handicapés.

Il vous sera très difficile de circuler dans la médina et les souks, aux rues étroites et encombrées, mais vous pourrez compter sur l'amabilité et la serviabilité des Tunisiens pour vous faciliter l'accès à de nombreux sites. Planifiez votre voyage très minutieusement.

Heure locale

L'heure locale tunisienne est celle du Méridien de Greenwich (GMT). En été le décalage horaire est d'une heure avec la France, en hiver il est nul.

Horaires d'ouverture

Banques : du lundi au jeudi de 8 h à 11 h 30 et de 14 h à 17 h, le vendredi de 8 h à 11 h 20/12 h et de 13 h 30 à 16 h/16 h 30 ; en juillet et août de 7 h/8 h à – 12 h/13 h.

Bureaux de poste : du lundi au vendredi de 8 h à 12 h et de 15 h à 18 h, le samedi de 7 h 30 à 13 h ; en été de 7 h 30 à 13 h.

Boutiques : en hiver, les boutiques sont généralement ouvertes du lundi au samedi de 8 h 30 à 12 h et de 15 h à 18 h. En été, elles ferment souvent plus tard, pour pouvoir accueillir les touristes. Les souks ferment généralement le vendredi, conformément à la loi islamique, et le dimanche l'activité y est réduite.

Musées et curiosités : presque tous les musées ferment le lundi. D'avril à la mi-septembre, ils ouvrent du mardi au dimanche de 9 h à 16 h, et le reste de l'année, de 9 h à 12 h et de 14 h à 17 h 30. Ces horaires peuvent varier. Les attractions de plein air peuvent rester ouvertes du lever au coucher du soleil.

Internet

www.tunisie.com : renseignements généraux (politique, économique, culturel…).

www.tourismtunisia.com :
site de l'Office de tourisme.

Vous pouvez vous connecter à **Internet** chez **Publinet**, Centre Aïda, Boutique 12, av. Tahar ben Ammar, El Menzah 9 *(ouvert de 9 h à minuit)* dans la banlieue de Tunis. Mais les « cybercafés » (sans le café !) poussent comme des champignons dans le centre-ville de Tunis. Vous en trouverez un notamment au 14 rue de Grèce, près de la place de Barcelone. Et entre deux baignades à la Goulette, vous pourrez surfer près de la sortie du TGM « La Goulette-Vieille ».

Jours fériés

La Tunisie vit au rythme de deux calendriers différents : le calendrier occidental grégorien et l'Hégire, calendrier islamique dont l'An I commence le 16 juillet 622, date à laquelle Mahomet quitta La Mecque pour Médine. Basé sur le cycle lunaire, il compte 12 mois mais est plus court que le calendrier grégorien, si bien que les dates des fêtes religieuses varient chaque année.

Jours fériés officiels

1er janvier – Jour de l'An
20 mars – Fête de l'Indépendance
21 mars – Fête de la Jeunesse
9 avril – Fête des Martyrs
1er mai – Fête du Travail
25 juillet – Fête de la République
13 août – Journée de la Femme
15 oct – Fête de l'Évacuation

7 nov – Journée de la Commémoration

Fêtes religieuses

Le Ramadan – mois du jeûne. Les musulmans ne peuvent ni manger ni boire de l'aube au coucher du soleil. Le pays vit au ralenti, mais les fêtes organisées le soir peuvent être distrayantes.
L'Aïd es Seghir – fin du Ramadan.
L'Aïd el-Kebir – commémoration du sacrifice d'Abraham, au cours de laquelle on immole et on mange un mouton
Le Mouharem – Nouvel An musulman
Le Mouloud – anniversaire de la naissance du prophète

Langue

La majorité des Tunisiens parle arabe et français. Avec le français, vous pouvez en théorie vous débrouiller mais les Tunisiens seront enchantés de vous entendre prononcer quelques mots ou phrases dans leur langue.

Les arabophones se procureront *L'arabe tunisien de poche* (éditions *Assimil*) afin de s'initier à la langue tunisienne.

Voir le **Petit lexique.**

Livres

Salammbô, Gustave Flaubert (Folio);
Lettres d'Afrique, Guy de Maupassant (Boîte à Documents);
La Statue de sel, Albert Memmi (Folio);
Le Scorpion, Albert Memmi (Folio);

Petit lexique

French	Arabe
Bonjour	Sebah el kheir
Bonsoir	Msa el kheir
Bonne nuit	Leela mebrouka
Au revoir	Besslâmah
Oui	N'am
Non	Lâ
S'il vous plaît	Min fadlak
Merci	Choukrane/barak allaou fik
Pardon	Afouan
D'accord	Wakha
Pas de problème	Meckee mushkeel
Monsieur/Madame	Si, Sidi/Lalla
Je ne comprends pas	Ma nefhemch
Je ne sais pas	Ma narafch
Au secours !	Ateqq !
Toilettes	Vaysay
Attention !	Roud balek
Où est… ?	Feen kayn… ?
Quand est… ?	Waqtash… ?
Combien coûte ceci ?	Chhal hadi ?
Ecrivez-le	Ktib ha
Trop cher	Ghalee bzef

Les colonnes d'Hercule, Paul Theroux (Livre de Poche); *La dernière odalisque*, Fayçal Bey (Stock); *Avenue de France*, Colette Fellous (Gallimard);

Location de voiture

Les agences internationales de location de voiture possèdent des bureaux à l'aéroport de Tunis, dans la capitale ainsi que dans certains grands hôtels. Il existe également des compagnies locales à Tunis (qui prélèvent parfois une surtaxe si vous laissez le véhicule à l'aéroport).

De manière générale, les tarifs pratiqués sont plus élevés que dans les pays occidentaux. Il faudra débourser au minimum 100D pour atteindre des sommets dans le cas de véhicules 4x4. Les routes sont en bon état, et une petite voiture devrait faire l'affaire. Si vous voyagez l'été, optez pour une voiture climatisée. Vérifiez que le prix comprend la TVA (si tel n'est pas le cas, ajoutez 17 %). L'assurance ne couvre généralement ni le vol, ni les dégâts subis par les pneus ou les pare-brise.

Europcar : aéroport ✆ (01) 233 411 ; 17, av. Habib Bourguiba, ✆ (01) 340 303 ; 81, av. de la Liberté, ✆ (01) 287 235.

Hertz : aéroport, ✆ (01) 231 822 ; 29, av. Habib Bourguiba, ✆ (01) 248 559.

Mattei (Ada) : aéroport, ✆ (01) 767 0233.

FirstCar : av. Habib Bourgiba, ✆ (01) 09 209 777 *(réservation 24 h/24).*

Vous pouvez également réserver votre véhicule de votre domicile en vous connectant sur **www.camelcar.com**.

Objets trouvés

Il n'existe pas de bureau des objets trouvés. Vous pouvez toujours vous adresser à la police, mais si vous avez perdu quelque chose, ne vous faites guère d'illusion.

Photographie

À Tunis, vous trouverez un vaste choix de pellicules photo et une gamme plus restreinte de pellicules diapo. Vérifiez bien les dates sur les boîtes, en refusant les pellicules susceptibles d'avoir été exposées en vitrine et endommagées par la chaleur. Le choix de la bonne intensité est délicat. La lumière est très forte à la mi-journée, mais les ruelles étroites créent une profonde pénombre.

Il est interdit de photographier les bâtiments militaires et gouvernementaux. Les musées acceptant que l'on prenne des photographies interdisent parfois l'utilisation du flash et réclament la somme de 1D (plus s'il s'agit de films vidéo).

Les curiosités architecturales peuvent être photographiées en toute liberté, mais avant de photographier quelqu'un, demandez-lui la permission. Il vous arrivera peut-être d'essuyer des refus, en particulier de la part des femmes.

Pourboire

Prévoyez toujours de la monnaie sur vous pour pouvoir donner un pourboire aux guides, serveurs, pompistes et employés de parking.

Néanmoins leurs montants doivent rester raisonnables, même si vous séjournez dans un hôtel 5 étoiles. De nombreuses familles touchent de bas salaires, et un pourboire trop élevé pourrait être mal interprété. En règle générale, il convient de laisser un pourboire d'environ 10 à 15 % de l'addition dans les restaurants, d'environ 500 millimes pour un employé de parking, de 1 ou 2 dinars pour un porteur d'hôtel et de 2 D pour un guide. Évitez de donner une pièce aux enfants, sans quoi vous serez suivi par une horde bruyante.

Presse
Vous aurez le choix entre trois quotidiens de langue française : *La Presse, Le Temps* et *Le Renouveau*.

La Presse publie des adresses, programmes et horaires très utiles (pharmacies, hôpitaux et numéros d'appel d'urgence ; horaires des trains, bus et compagnies aériennes). Les journaux étrangers paraissent avec un jour de retard.

Santé
La Tunisie ne présente aucun risque particulier pour la santé, mais il serait raisonnable d'être à jour de vos vaccins (*voir **Avant le départ***) et d'observer quelques règles d'hygiène élémentaires.

La diarrhée (communément appelée « jerbienne » ou « tourista ») est la maladie la plus courante chez les touristes. Emportez donc un anti-diarrhéique, et si vous souffrez de cette

affection, buvez beaucoup (eau minérale ou boissons gazeuses) afin de prévenir la déshydratation.

Évitez de consommer les légumes crus, les fruits non épluchés et les salades susceptibles d'avoir été lavées à l'eau du robinet ; buvez uniquement de l'eau minérale (qui servira également pour le brossage des dents).

Évitez les glaçons probablement faits avec l'eau du robinet. La nourriture servie dans les hôtels et les meilleurs restaurants est généralement sûre, mais évitez les aliments qui sont restés à l'air pendant un certain temps et assurez-vous que le plat vient d'être cuisiné.

L'été, portez un chapeau, enduisez-vous d'écran total et buvez tout au long de la journée.

Pensez à emporter un répulsif contre les insectes de toutes sortes. Aucun cas de malaria n'a été déclaré en Tunisie, et n'importe quel produit soulagent les piqûres d'insecte fera l'affaire. Si vous faites une réaction, consultez un pharmacien.

La campagne n'est pas exempte de serpents et scorpions, la prudence est donc de mise lorsque l'on grimpe sur les rochers. Les sandales sont proscrites.

Pharmacies : les pharmacies peuvent traiter un vaste éventail de petites affections et la plupart des médicaments standards sont délivrés sans ordonnance. Vous trouverez des pharmacies de nuit dans le centre de la ville moderne :

- **Khabthani Rached**, 43, av. Habib Bourguiba, ✆ (01) 252 507.
- **Karray**, av. de la Liberté, ✆ (01) 243 520.

Médecins et dentistes : de nombreux médecins et dentistes ont été formés en France, et la qualité des soins est généralement bonne. Contactez l'unité d'urgence locale, **SOS Médecins**, à Tunis, ✆ (01) 522 381.

Hôpitaux : il n'existe aucun accord de réciprocité pour la couverture médicale, la souscription d'une assurance s'impose donc. Contactez l'**hôpital Habib Thameur** : ✆ (01) 397 000. En cas de problème grave, faites-vous rapatrier.

Tabac

Les fumeurs sont assez nombreux et il n'existe pas de zones non-fumeurs, même dans les restaurants. Cependant, les musulmans doivent renoncer à la cigarette durant le Ramadan, et les visiteurs étrangers doivent donc s'abstenir de fumer en public le jour durant cette période.

Téléphone

Les téléphones publics sont regroupés dans des petites officines appelées **taxiphones** ou **publitels**, réparties aux quatre coins de Tunis ainsi que dans les agglomérations. Les cabines téléphoniques sont généralement surveillées par un employé auprès duquel vous pourrez faire de la monnaie. Les appareils acceptent les pièces de

100, 500 millimes et 1 dinar, et se révèlent bien plus économiques que le téléphone de votre chambre d'hôtel. Ils sont même meilleur marché que les téléphones privés, ce qui explique que la population locale les utilise souvent. Certains sont même équipés de télécopieurs.

Le principal taxiphone de Tunis est au 8, rue Jemal Abdelnasser *(ouvert 24 h/24)*. Vous en trouverez d'autres au 5, rue de Marseille *(ouvert jusqu'à 23 h)* et au 6, av. de Carthage *(ouvert 24 h/24)*.

Pour téléphoner à l'intérieur d'une zone, composez simplement le n° de votre correspondant à 6 chiffres, mais pour les appels interurbains faites d'abord l'indicatif.
– Indicatif de Tunis : **01**
– Indicatifs de Bizerte/Nabeul/Hammamet : **02**

Pour appeler à l'étranger de Tunis, composez le **00** + l'indicatif du pays + le numéro de votre correspondant. L'indicatif de la France est le **33**, celui de la Belgique le **32**, celui de la Suisse le **41** et celui du Canada le **1**.

Pour appeler Tunis de l'étranger faites le **00** + **216** (indicatif de la Tunisie) + **01** + n° de votre correspondant.

Renseignements : **120**

Pour les appels en PCV, composez le **17**.

Toilettes

Les musées et autres curiosités, gares, cafés et restaurants possèdent des toilettes publiques correctes. Sinon, évitez les autres généralement incommodantes. Pensez à avoir du papier toilette.

Transports

Tunis est suffisamment petite pour pouvoir être facilement explorée à pied, et c'est d'ailleurs le seul moyen de visiter la médina. La marche peut mettre vos pieds à rude épreuve, alors prévoyez de bonnes chaussures.

Taxis

Il existe deux sortes de taxi. Omniprésents, les « **petits taxis** » jaunes sont facilement repérables. Desservant la ville et les plages, ils sont tenus de par la loi d'utiliser leur compteur mais préfèrent négocier à l'avance un tarif forfaitaire. Les « **grands taxis** » peuvent quant à eux circuler en dehors de la ville. Actuellement, un trajet dans la ville coûte environ 2D, mais il vous en coûtera entre 10 et 12D pour vous rendre sur les plages. Vous pouvez prendre un taxi dans une file ou en héler un dans la rue, ou encore appeler **Allô Taxi**, av. Habib Bourguiba : ℰ (01) 492 422/783 311, ou **Allô Rapide Taxi :** ℰ (01) 707 777.

Près des deux gares routières, vous trouverez des **taxis collectifs** *(8 passagers maximum)* qui vous conduiront d'une ville à l'autre rapidement et confortablement (ces « mini-bus » sont récents) pour une somme modique (le prix de la course est divisée par le nombre de passagers). Sur place, il suffit d'indiquer votre destination et on vous dirigera vers un véhicule. Les allers-retours Tunis-Bizerte ou Tunis-Hammamet par exemple sont fréquents, l'attente ne sera donc pas longue. Vous règlerez la course peu avant l'arrivée à destination quand vous verrez les passagers sortir leur monnaie : faites comme tout le monde, donnez l'appoint de préférence après avoir demandé discrètement le prix. Tout cela n'a rien d'illicite puisque ce mode de transport est contrôlé par l'État, cependant il peut y avoir des petites variations tarifaires (mais jamais de mauvaises surprises) !

Autobus

Les bus locaux sont une perspective peu réjouissante pour les visiteurs étrangers, sauf pour les « aventuriers ». Même s'ils sont fréquents, les horaires et panneaux sont uniquement en arabe, et les plans inexistants. Ceci dit, ils sont très abordables. La ligne **35** dessert l'aéroport, et la **3** conduit au musée du Bardo (depuis Tunis Marine ou devant l'agence Tunisair sur l'av. Habib Bourguiba).

Métro (tramway)

En 1985, un nouveau réseau de tramway a été mis en place par la

Sur terre, mais un « métro » quand même !

SMLT (Société du Métro Léger de Tunis). Tunis se trouvant au niveau de la mer, l'installation d'un métro souterrain était impossible, et la solution du tramway fut adoptée. Les cinq lignes convergent toutes vers la gare centrale SNCFT, place de Barcelone. La ligne **4** dessert le musée du Bardo, la **1** assure la liaison avec la gare TGM et la **3** s'arrête près de la station de bus de Bab Saadoune.

Vous pouvez acheter les **tickets** (le tarif varie en fonction de la zone parcourue) dans les guichets des stations. Prévoyez de la monnaie sinon l'appoint. Autrement, il existe des abonnements au mois ou à la semaine. Si vous voyagez sans ticket valable, vous serez redevable d'une amende de 10D. Dans les petites stations, on vous donnera un billet déjà composté tandis que dans les grandes un contrôleur vous le poinçonnera à l'entrée ou vous devrez le composter, en introduisant le ticket, du côté où figure un point noir, dans la machine en bordure de quai.

N'hésitez pas à jouer des coudes pour descendre ou monter (les portes sont étroites), de toute façon on vous y poussera ! Ne soyez pas surpris du contraste entre la nonchalance piétonnière et la frénésie des transports en commun et suivez le mouvement.

TGM
La ligne ferroviaire Tunis-La Marsa relie la capitale aux villes et stations balnéaires de banlieue comme La Goulette, Carthage, Sidi Bou Saïd et La Marsa. Les trains

sont fréquents (toutes les 15-40 minutes) et bon marché (400 millimes pour un aller simple à La Goulette, 600 millimes pour un aller simple à La Marsa).

Les trains partent de la gare Tunis Marine près de l'av. Habib Bourguiba (terminus de la ligne de métro n° 1) et les arrêts sont bien situés (six pour Carthage), vous permettant d'accéder facilement aux sites. Attention, l'arrêt pour l'aéroport n'est pas celui de Tunis-Carthage.

Urgences
Police secours : ℘ 197
SAMU : ℘ 190
SOS Médecins (Tunis) : ℘ 522 381/09 348 856
Ambulance : ℘ 862 222

Vêtements à emporter
L'été étant extrêmement chaud, privilégiez les vêtements amples, en fibres naturelles. En hiver, les températures peuvent s'avérer étonnamment fraîches, malgré le soleil, et le port de vêtements chauds le soir s'impose, jusqu'à la fin du mois d'avril. À la mi-saison vous pourrez essuyer des averses, prévoyez un vêtement de pluie et des chaussures fermées.

Les femmes doivent se vêtir de manière décente et réserver les minijupes, shorts et hauts dénudés à l'enceinte des hôtels et des piscines. Pour vos soirées, la tenue de rigueur mêle à la fois élégance et décontraction.

Les tailles des vêtements sont les mêmes en Tunisie et en Europe.

INDEX